D1373222

SV

Ralf Rothmann
Im Frühling sterben

Roman

Suhrkamp

4. Auflage 2015

Erste Auflage 2015
© Suhrkamp Verlag Berlin 2015
Alle Rechte vorbehalten, insbesondere das der Übersetzung,
des öffentlichen Vortrags sowie der Übertragung durch
Rundfunk und Fernsehen, auch einzelner Teile.
Kein Teil des Werkes darf in irgendeiner Form
(durch Fotografie, Mikrofilm oder andere Verfahren)
ohne schriftliche Genehmigung des Verlages reproduziert oder
unter Verwendung elektronischer Systeme
verarbeitet, vervielfältigt oder verbreitet werden.
Druck: Friedrich Pustet, Regensburg
Printed in Germany

ISBN 978-3-518-42475-9

Die Väter
haben saure Trauben gegessen,
aber den Kindern
sind die Zähne davon stumpf geworden.

Ezechiel

Das Schweigen, das tiefe Verschweigen, besonders wenn es Tote meint, ist letztlich ein Vakuum, das das Leben irgendwann von selbst mit Wahrheit füllt. – Sprach ich meinen Vater früher auf sein starkes Haar an, sagte er, das komme vom Krieg. Man habe sich täglich frischen Birkensaft in die Kopfhaut gerieben, es gebe nichts Besseres; er half zwar nicht gegen die Läuse, roch aber gut. Und auch wenn Birkensaft und Krieg für ein Kind kaum zusammenzubringen sind – ich fragte nicht weiter nach, hätte wohl auch wie so oft, ging es um die Zeit, keine genauere Antwort bekommen. Die stellte sich erst ein, als ich Jahrzehnte später Fotos von Soldatengräbern in der Hand hielt und sah, dass viele, wenn nicht die meisten Kreuze hinter der Front aus jungen Birkenstämmen gemacht waren.

Mein Vater hatte selten einmal gelächelt, ohne deswegen unfreundlich zu wirken. Der Ausdruck in seinem blassen, von starken Wangenknochen und grünen Augen dominierten Gesicht war unterlegt von Melancholie und Müdigkeit. Das zurückgekämmte dunkelblonde Haar, scharf ausrasiert im Nacken, wurde von Brisk in Form gehalten, das Kinn mit der leichten Einkerbung war immer glatt, und die vornehme Sinnlichkeit seiner Lippen schien nicht wenige Frauen beunruhigt zu haben; es gab da Geschichten. Seine etwas zu kurze Nase hatte einen kaum merklichen Stups, so dass er im

Profil etwas jünger wirkte, und der Blick ließ in entspannten Momenten eine schalkhafte Menschlichkeit und eine kluge Empathie erkennen. Aber seine Schönheit war ihm selbst kaum bewusst, und falls sie ihm denn einmal aufgefallen wäre, hätte er ihr vermutlich nicht geglaubt.

Alle Nachbarn mochten ihn, den immer Hilfsbereiten, das Wort hochanständig fiel oft, wenn von ihm die Rede war; seine Kumpel in der Zeche nannten ihn anerkennend Wühler, und kaum einer stritt je mit ihm. Er trug gewöhnlich Hosen aus Cord, deren samtiges Schimmern sich schon nach der ersten Wäsche verlor, sowie Jacken von C & A. Doch die Farben waren stets ausgesucht, ließen ein kurzes Innehalten bei der Wahl erkennen, eine Freude an der geschmackvollen Kombination, und niemals hätte er Sneakers oder ungeputzte Schuhe, Frotteesocken oder karierte Hemden angezogen. Obwohl seine Körperhaltung durch die schwere Tätigkeit als Melker und später als Bergmann gelitten hatte, war er, was es kaum je gibt: ein eleganter Arbeiter.

Aber er hatte keine Freunde, suchte auch keine, blieb lebenslang für sich in einem Schweigen, das niemand mit ihm teilen wollte – nicht einmal seine Frau, die mit allen Nachbarn Kaffee trank und samstags ohne ihn zum Tanzen ging. Sein steter Ernst verlieh ihm trotz des krummen Rückens eine einschüchternde Autorität, und seine Schwermut bestand nicht einfach aus Überdruss am Trott der Tage oder an der Knochenarbeit, aus Ärger oder unerfüllten Träumen. Man schlug ihm nicht auf die Schulter und sagte: Komm, Walter, Kopf hoch! Es war der Ernst dessen, der Eindringlicheres

8

gesehen hatte und mehr wusste vom Leben, als er sagen konnte, und der ahnte: Selbst wenn er die Sprache dafür hätte, würde es keine Erlösung geben.

Überdunkelt von seiner Vergangenheit, radelte er bei Wind und Wetter zur Zeche, und abgesehen von den vielen Verletzungen und Brüchen durch Steinschlag war er nie krank, nicht einmal erkältet. Doch die fast dreißig Jahre als Hauer unter Tage, die unzähligen Schichten und Sonderschichten mit dem Presslufthammer vor Kohle (ohne jeden Gehörschutz, wie damals üblich) hatten dazu geführt, dass er taub wurde und nichts und niemanden mehr verstand – außer meine Mutter. Wobei mir bis heute ein Rätsel ist, ob es ihre Stimmfrequenz war oder die Art der Lippenbewegung, die es ihm ermöglichte, sich ganz normal mit ihr zu unterhalten. Alle anderen mussten schreien und gestikulieren, wenn sie ihm etwas sagen wollten, denn er trug kein Hörgerät, mochte es nicht tragen, weil es angeblich Nebengeräusche und quälende Hall-Effekte erzeugte. Das machte den Umgang mit ihm sehr anstrengend, und seine Einsamkeit nahm auch innerhalb der Familie zu.

Ich hatte aber stets den Eindruck, dass er zumindest nicht unglücklich war in dieser fraglosen Stille, die sich von Jahr zu Jahr mehr um ihn verdichtete. Am Ende zerarbeitet, früh verrentet und vor Scham darüber schnell zum Alkoholiker geworden, verlangte er nicht viel mehr vom Leben als seine Zeitung und den neuesten Jerry-Cotton-Roman vom Kiosk, und als die Ärzte ihm 1987, gerade war er sechzig geworden, sein baldiges Sterben ankündigten, zeigte er sich kaum bewegt. »An meinen Körper kommt kein Messer«, hatte er schon zu Beginn der Krankheit gesagt, und weder mit dem Rauchen noch mit dem Trinken aufgehört. Er wünschte sich ein wenig öfter als sonst sein Lieblingsgericht, Bratkartoffeln mit Rührei und Spinat, und versteckte den Wodka vor meiner Mutter im Keller, unter den Kohlen. (An der Mauer hing immer noch sein Melkschemel mit dem Lederband und dem gedrechselten Bein.)

Bereits zu seiner Pensionierung hatte ich ihm eine schöne Kladde geschenkt in der Hoffnung, er würde mir sein Leben skizzieren, erwähnenswerte Episoden aus der Zeit vor meiner Geburt; doch sie blieb fast leer. Nur ein paar Wörter hatte er notiert, Stichwörter womöglich, fremd klingende Ortsnamen, und als ich ihn nach dem ersten Blutsturz bat, mir wenigstens jene Wochen im Frühjahr '45 genauer zu beschreiben, winkte er müde ab und sagte mit seiner sonoren, wie aus dem Hohlraum der Taubheit hervorhallenden Stimme: »Wozu denn noch? Hab ich's dir nicht erzählt? Du bist der Schriftsteller.« Dann kratzte er sich unter dem Hemd, starrte aus dem Fenster und fügte halblaut hinzu: »Hoffentlich ist der Scheiß hier bald vorbei.«

Nicht von ihm gehört zu werden machte uns auch untereinander stumm; tagelang saßen meine Mutter und ich in dem Sterbezimmer, ohne ein Wort zu sprechen. Es war bis in Kopfhöhe lindgrün gestrichen, und über dem Bett hing ein Kunstdruck nach einem Gemälde von Édouard Manet, »Landhaus in Rueil«. Ich mochte das Bild immer gern, nicht nur wegen seiner scheinbar so leichten, fast musikalischen Ausführung und des

Sommerlichts, von dem es sanft durchglüht wird, obwohl man nirgends ein Stück Himmel sieht: Die ockerfarbene, von Bäumen, Sträuchern und roten Blumen umwachsene Villa mit dem Säulenportal hat auch eine entfernte Ähnlichkeit mit dem Herrenhaus jenes Gutes in Norddeutschland, auf dem mein Vater Anfang der vierziger Jahre seine Melkerlehre gemacht hatte. Dort waren sich die Eltern zum ersten Mal begegnet, und in der Kindheit hatte ich ein paar glückliche Ferienwochen in der Nähe verbracht. Verwandte wohnten immer noch am Kanal.

Ein Landhaus der Seele, auf das nun die Abendsonne fiel. Der Plastikrahmen knackte in der letzten Wärme, und meine Mutter, die sich nicht anlehnte auf ihrem Stuhl und der die Handtasche in der Ellenbeuge hing, als wäre sie nur kurz mal zu Besuch beim Tod, stellte die Wasserflasche in den Schatten. Wie immer makellos und mit viel zu viel Haarspray frisiert, trug sie Wildlederpumps und das nachtblaue Kostüm mit den Nadelstreifen, das sie selbst geschneidert hatte, und wenn sie leise seufzte, konnte ich eine Likörfahne riechen.

In den knapp achtzehn Jahren bei meinen Eltern und auch später, während der seltenen Besuche an Weihnachten oder zu Geburtstagen, hatte ich kaum je eine Zärtlichkeit zwischen den beiden gesehen, keine Berührung oder Umarmung, keinen noch so beiläufigen Kuss; eher machte man sich die stets gleichen Vorhaltungen, den Alltagskram betreffend, oder zertrümmerte volltrunken das Mobiliar. Doch nun drückte sie plötzlich ihre Stirn gegen seine und strich über die Hand des zunehmend Verwirrten, flüchtig nur, als schämte sie sich vor ihrem Sohn, und mein Vater öffnete die Augen.

Vom eingewachsenen Kohlenstaub immer noch fein gerändert, waren sie seit Tagen ungewöhnlich groß und klar; wie Perlmutt schimmerten die Skleren, im dunklen Grün der Iris konnte man die braunen Pigmente erkennen, und zitternd hob er einen Finger und sagte: »Habt ihr gehört?«

Einmal abgesehen von seiner Taubheit: Es war vollkommen still, weder durch das Fenster, das auf den blühenden Klinikpark hinausging, noch vom Flur drang ein Laut herein; die reguläre Besuchszeit war zu Ende, das Abendessen längst serviert, das Geschirr vor kurzem abgeräumt worden. Die Nachtschwester hatte bereits ihre Runde gemacht, und meine Mutter schüttelte kaum merklich den Kopf und murmelte: »Ah, jetzt ist er wieder im Krieg.«

Ich fragte nicht, wie sie darauf kam. Allein die Intimität, die in diesem Wissen aufschien, sagte mir, dass es stimmte, und wirklich rief er wenig später »Da!« und blickte hilflos besorgt von einem zum anderen. »Schon wieder! Hört ihr das denn nicht?« Kreisförmig wanderten die Finger über die Brust, rafften das Nachthemd zusammen und glätteten es, wobei er schluckte, und dann sank er aufs Kissen zurück, drehte den Kopf zur Wand und sagte bei geschlossenen Augen: »Die kommen doch immer näher, Mensch! Wenn ich bloß einen Ort für uns wüsste ...«

In der Bibel meiner Eltern, einem zerschabten Lederexemplar voller Kassenzettel von Schätzlein, hat jemand einen Vers im Alten Testament angestrichen – nicht mit einem Stift, sondern wahrscheinlich mit dem Finger- oder Daumennagel, und obwohl das in Fraktur gesetzte Buch nun schon Jahrzehnte in meinen Regalen oder Kisten liegt, sieht die Kerbe in dem Dünndruckpapier wie gerade erst eingeritzt aus. »Wenn du den Acker bebauen wirst, soll er dir hinfort seinen Ertrag nicht geben«, heißt es da. »Unstet und flüchtig sollst du sein auf Erden.«

In der Dunkelheit hörte man von den Tieren wenig mehr als das Geräusch ihrer wiederkäuenden Kiefer oder ein Schnaufen hinter dem Fressgitter. Manchmal streifte der Lichtkreis der Petroleumlampe eine feuchte Schnauze mit schwarzen, im Innern rosigen Nüstern oder warf die Schatten der Hörner an die gekalkte Wand, wo sie zwei Schritte lang spitz aufragten, um gleich wieder zu verblassen. Die Nester der Rauchschwalben unter dem Heuboden waren noch verwaist; doch unsichtbar im Dunkeln maunzten schon junge Katzen.

Ein schwerer Urinstrahl pladderte auf den Estrich, und der süßliche Geruch nach Mais und Kleie erfüllte den hinteren Teil des Gebäudes, wo die trächtigen Kühe in Einzelboxen standen und dem Mann in dem blauen Arbeitsanzug, der für sie nur ein wandernder Lichtpunkt sein mochte, aus großen Augen entgegensahen.

Dabei blieben sie völlig reglos, und erst als der junge Melker in den Kannenraum getreten war, ließ eine beinahe weiße – es gab nur einen Fleck an der Hungergrube – ein hohes Brüllen hören. Ihr Schwanz peitschte durch die Luft.

»Bleib ruhig, bin ja schon weg«, murmelte Walter und schloss die Tür. Man hatte die Rohmilchkannen, zwei Dutzend oder mehr, an der Wand aufgereiht. Außen stumpfgrau, waren sie innen sauber gespült und abgetrocknet, ein Glanz, in dem man sich spiegeln konnte. Doch die Siebtücher lagen zwischen Schürzen und Gummistiefeln auf dem Boden, und er schnalzte verärgert und hängte die Lampe an den Haken. Dann füllte er eine Blechwanne mit Wasser, in das er eine Handvoll Natron gab, und weichte die locker gewebte Baumwolle darin ein, und nachdem er noch einige Melkschemel ins Regal geräumt und eine Dose Waschsand zugeschraubt hatte, öffnete er die Tür zum Hof.

Ein Drosselschwarm stob aus der Linde; im Herrenhaus kein Licht. Motte, Thamlings alter Hund, schlief auf den Stufen. Die verkohlten Balken des Uhrturms ragten in den violetten Himmel, die Regenrinne baumelte herab. Zwar hatte man die zersplitterten Fenster inzwischen verschalt, doch lag das Wappenschild des Gutes, auf dem ein schwarzes Pferd unter gekreuzten Sicheln abgebildet war, immer noch im Vorgarten. Auch der Portikus beschädigt und schief; die Attacke der Jagdbomber hatte offenbart, dass die kannelierten Säulen, die an einen Tempel denken ließen, im Innern hohl waren, vergipste Bretter, hinter denen Mäuse lebten.

Walter überquerte den Hof, ging durch die Schmiede und öffnete die Tür zum Kälberstall. In der jähen Zugluft wirbelte das Häcksel auf dem Boden im Kreis herum. Er hob die Petroleumlampe und las den Anschlag am schwarzen Brett, einen Bescheid des Heeresversorgungsamtes. Dann schloss er die Fenster, klopfte gegen den Wassertank und warf einen Blick in die Raufen. Mehr als zweihundert Tiere hatten unter dem riesigen Reetdach Platz, doch jetzt befanden sich gerade vierzig darin, Schwarzbunte kurz vor der ersten Brunst. Er pfiff leise, ein lockender Ton, woraufhin einige an das Gatter kamen, sich die Blessen kraulen ließen und an seinem Daumen saugten.

Seit es kaum noch Schweine auf dem Hof gab, wurden zunehmend Kälber requiriert. Gut ein Drittel der Tiere trug bereits ein Kreidekreuz auf der Flanke, und er schüttete einen Eimer voll Kleie in den Futterstein, schloss die Tür hinter sich und überquerte die Chaussee. Gleich neben der Einfahrt zur Meierei, im alten Pferdestall, lebten die Flüchtlinge, jede Familie in einer Box, und in der Abendstille konnte man die Stimmen von Frauen und Kindern und ein Akkordeon hören. Obwohl es den Leuten verboten war, dort zu kochen, stieg Rauch aus den vergitterten Fenstern, und es roch nach gebratenen Zwiebeln und heißer Lauge.

Unter dem Vordach der Meierei waren Leinen voller Bettlaken und Windeln gespannt, und eine Böe wehte ihm etwas Seidiges ins Gesicht, kühle Strümpfe. Daneben hing das dünne Hemd mit den Stickereien; Elisabeth hatte es am letzten Wochenende getragen und lange nicht ausziehen wollen, auch nach dem Steinhäger nicht. Erst als es »versaut« war, wie sie das nannte, hatte sie es rasch über den Kopf gestreift und in seinem Waschbecken eingeweicht, mit angewiderter Miene. In ihrer Nacktheit war sie ihm noch zarter vorgekommen, kindlich fast, wäre da nicht die schwarz glänzende Behaarung gewesen, und er ließ die Fingerspitzen über das Muster gleiten. Doch kaum hatte er sich vorgeneigt, um daran zu riechen, sagte eine Stimme hinter den Laken: »Na, is' schon trocken?«

Frau Isbahner saß auf der Treppe zur Futterküche und schälte im Licht einer Kerze Kartoffeln. Handschuhe ohne Finger trug sie und einen zerschlissenen Mantel; ihre grauen Haare waren zu einem Dutt geformt. Sie hatte ähnlich schmale Lippen wie ihre beiden Töchter, mit denen sie hier lebte, und wenn sie das Kinn an den Hals zog, wölbte sich der Kropf vor, ein großer, matt glänzender Auswuchs voller Besenreiser. »Ich seh nur rasch nach der Milch«, sagte Walter. »Wird Ihnen nicht kalt?«

Die Frau, auf deren Schoß eine Katze schlief, nickte. »Aber hier draußen ist die Luft besser«, murmelte sie und schnitt die Augen aus einer Kartoffel. »Nach der Milch siehst du also. Bist ein Gründlicher, oder? Wie wird sie sein, deine Milch? Weiß oder grau, vielleicht ein bisschen gelb. Kühl oder nicht so kühl, sauer oder süß. Mit Rahm obenauf oder leicht geronnen. Die Milch ist seit Adam und Eva Milch, du musst nicht nach ihr schauen.« Sie schmiss die Kartoffel in einen Topf und lächelte ihn an, wobei ihre Prothese verrutschte. »Wir stehlen nichts, Junge. Wir kommen schon zurecht. Flüchtlinge sind wir, keine Diebe.«

Er blinzelte verlegen. »Hat auch niemand gesagt, oder? Aber Thamling ist noch in Malente, da muss ich den Abendgang machen. Ist Liesel nicht da?«

»Der alte Fuchs …« Sie schnalzte leise. »Schon wieder in Malente? Wissen möcht' ich, was der immer auswärts treibt. Sticht den noch der Hafer? Hat er was Junges zu laufen? Und die Frau liegt krank im Bett.«

Walter zog den Schlüssel hervor. »Nein, nein, es ist wegen der Trecker. Drei haben sie mitgenommen, aber auf der Liste standen nur zwei. Da muss er Eingabe machen.«

Sie schüttelte den Kopf. »Ach Gott, wenn's denn hilft … Wie viele Eingaben hab ich schon gemacht, von wegen Wohnung. Pustekuchen. Soll er nur aufpassen, dass sie ihn nicht gleich dabehalten und auch an die Front schicken. Was die mal einkassieren, geben sie nicht wieder raus; alles wird jetzt zusammengekratzt. Der Iwan steht an der Oder, ist womöglich bald in Berlin, hast du gehört?«

»Nein«, sagte Walter und rieb sich den Nacken. »Ich bin Melker, ich weiß nichts von Politik. Und Feindsender schaltet hier auch niemand ein.«

Frau Isbahner kniff ein Auge zu. »Na, meinst du, ich tu's? Die Vögelchen haben's mir gezwitschert. Die kleinen Dinger, die ganz verrückt sind nach'm Frühling. Was die rumkommen im Leben! Setzen sich her zu mir und erzählen von unserem schönen Westpreußen, wo's gab das beste Korn. Hast du am Ersten Brot gebacken und in die Eichentruhe getan, immer Brot, Brett, Brot, war's am Monatsende noch knusprig frisch.«

Walter steckte den Schlüssel ins Schloss. Seit das

E-Werk in Neumünster bombardiert worden war, kühlte man die Milch, den Rohquark und die Butter wie vor hundert Jahren: Man leitete Wasser der Alten Eider mittels Schleusen durch das schmale Ziegelgebäude und stellte die Kannen und Wannen in die Strömung. Moosige Bohlen an den Giebelseiten erlaubten es, den Pegel in der Rinne zu regulieren, und nachdem Walter ihn etwas herabgesenkt hatte, hob er die Lampe und blickte in die Butterfässer. Hier und da war Rahm abgeschöpft, bläulich schimmerte die magere Milch, und er schrieb seinen Namen und die Uhrzeit an die Wandtafel und trat ins Freie.

Hinter den Chausseebäumen ging der Mond auf, ein großes, orangerotes Rund. Frau Isbahner saß nicht mehr auf der Treppe, und obwohl die Tür zur Küche offen stand, klopfte er an die Zarge. Immer noch roch es nach dem Schweinefutter, das man hier früher gekocht hatte, ein säuerlicher Geruch nach Rüben- und Kartoffelschalen; er konnte ihn auch an Elisabeths Kleidern wahrnehmen. Matratzen und Strohsäcke lagen längs der schwarzschimmeligen Wände, und ihre Mutter, die am Herd stand, rührte in einem Topf. »Na«, sagte sie, und drehte sich nicht um. »Was will er denn noch, Walterchen.«

Sie rauchte ihre kurze Pfeife mit dem Bernsteinschaft, und er machte einen Schritt in den Raum und rückte ein Bild über der Anrichte gerade, einen Schutzengel, der zwei Kinder über eine morsche Brücke führte. »Ich wollte nur wissen ... Ich meine ...« Er schluckte. »Könnte ich Liesel heute Abend mitnehmen an den Kanal? Die vom Reichsnährstand spendieren ein Fass, und es gibt eine neue Kapelle, acht Mann. Lauter Blinde und Kriegsversehrte, aber sie spielen flott. Und ich dachte, weil sie so gern tanzt ... Ich bring sie auch wieder zurück.«

Das Reisig im Herdloch knisterte, und Frau Isbahner legte einen Scheit dazu. Dann streute sie etwas Salz in den Topf. »Da musst du sie schon selbst fragen, Junge. Bald siebzehn ist sie, raucht wie ein Schlot und zigeunert wer weiß wo; der komm ich nicht bei.« Sie hob den Holzlöffel, probierte die Suppe. »Die kannst du prügeln, bis sie Lumpen kotzt, die bleibt frech. Aber wenn sie nachher dick ist, wird sie heulen, und ich bin wieder die liebe Mama.« Die Brauen gerunzelt, blickte sie sich um. »Was gab's denn da neulich hinterm Stall, sag mal? Wieso hat sie dir Schlachtewasser über die Füße gekippt? Das war doch heiß, oder?«

Die grau getigerte Katze sprang auf den Tisch, und er nickte und bewegte die Zehen in den Stiefeln. Trotz der Salbe taten sie noch weh. »Fast kochend war's ... Sie hat gesagt, sie will mich nicht. Oder eigentlich hat sie's ihren Freundinnen gesagt, der Ortrud und der Hedwig, so über die Schulter: Ich will den nicht. Und patsch, die ganze Schüssel! Obwohl ich doch barfuß war, vom Hackfleisch-Treten! Zum Glück hatte Thamling Verbandszeug dabei.«

Frau Isbahner zog an der Pfeife, stieß den Rauch durch die Nase; er sollte wohl ihr Schmunzeln nicht sehen. »Nu, das sagen Frauen schon mal bei dem Mond. Ist an und für sich kein schlechtes Zeichen. Sie findet dich jedenfalls nicht verkehrt, so viel kenn ich mein Gör. Weiß ja, von wem sie ist ... Spendier ihr was

Buntes und dreh sie ordentlich beim Tanzen, dann klappt's.«

Sie schob den Vorhang der Anrichte beiseite, schöpfte etwas Rahm aus einem Krug und gab ihn in die Suppe; dabei blickte sie rasch zur Tür. »Was glaubst du?«, fragte sie leise, fast bang. »Was mag nu kommen? Werden sie euch auch bald holen, wie die anderen? Mensch, ihr seid doch Kinder, du und der Fiete! Ihr wisst überhaupt nichts. Da lass ich dich anbändeln mit meiner Elisabeth, weil du hübsch bist und hast ein ehrliches Gesicht, und am Ende kriegt sie einen Krüppel.«

Ihre Augen wurden feucht, doch Walter grinste. »Ich bin fast achtzehn!«, sagte er und hielt sich gerader. »Aber mich können die sowieso nicht gebrauchen, Frau Isbahner. Ich hab schon bei den Hitlerjungen danebengeschossen. Knick in der Optik. Und wir sind ja wichtig hier, unentbehrlich. Einer muss die Kühe melken und die Kälber auf die Welt ziehen. Kein Krieg ohne Milch, sagt der Thamling immer.« Er trat an den Herd und blickte in den Topf; weiße Bohnen. »Ist sowieso bald vorbei«, flüsterte er. »Die Amerikaner rücken immer weiter vor, und die Tommys sollen schon an der holländischen Grenze sein. Da kann man nur hoffen, dass sie schneller im Dorf sind als der Russe.«

»Ach so«, sagte Frau Isbahner, nun wieder lächelnd. »Wer hört denn hier Feindsender? Gib nur acht, Junge, so ein Strick ist schnell geknüpft.« Sie strich der Katze über den Rücken, hielt ihr den Löffel hin. »Und jetzt lass mich mal arbeiten. Die Liesel wird schon im ›Fährhof‹ sein, denk ich. Der Kobluhn hat sie abgeholt, dieser Sägewerker auf dem Krad. Sie und die anderen Mädels. Der sieht vielleicht schmuck aus in der Uniform! Hätten wir solche gehabt vor Danzig, wir könnten jetzt noch in Westpreußen sein.« Sie zog an ihrer Pfeife, in der es leise brutzelte, und starrte den Schutzengel an. »Warum spendiert der Nährstand euch eigentlich Bier?«

Walter hob die Schultern und verabschiedete sich. Rasch ging er durch den kleinen, von Nadelbäumen verdunkelten Park. Der Kies auf den Wegen, leicht angefroren im abendlichen Bodenfrost, knirschte kaum, ein paar Rehe huschten fast lautlos davon. Auch in den rückwärtigen Fenstern des Gutshauses brannte kein Licht, auf der Terrasse lag ein großer Haufen Kiefernzapfen, und die Küchentür – ungläubig rüttelte er an der Klinke – war verschlossen. Er hob die Lampe und blickte durch die Scheibe mit den Mattglas-Ornamenten auf den Tisch. Ein Pfefferstreuer stand darauf, und leise fluchend überquerte er den Hof.

Die Melkerstuben unter dem Dach des Kuhstalls waren seit dem Tiefflieger-Angriff nur noch über eine Leiter zu erreichen; die zersplitterten Reste der Außentreppe lagen in der Jauche. Zehn Kammern gab es hier oben, kaum mehr als Bretterverschläge, viele ohne Türen und nur wenige mit Fenstern, Fledermausgauben. Schuhe voller Heustaub standen neben den Betten, auf den Stühlen lagen Bücher und Zeitschriften, an den Wänden hingen Familienbilder oder Fotos von Marika Rökk und Magda Schneider. Doch die meisten Landarbeiter, die hier gelebt hatten, waren längst tot. Auf einem der karierten Kissen lag ein Soldbuch, auf einem anderen ein silbernes Stalingrad-Kreuz. Er hatte es einmal in der Hand gewogen und enttäuschend leicht gefunden.

Obwohl man die schmalen, mit einem Bett, einem Stuhl und einem emaillierten Waschbecken ausgestatteten Kammern nicht heizen konnte, waren sie dank der Tiere darunter immer warm, und er streifte den Arbeitsanzug ab, drehte den Wasserhahn auf und wusch sich mit dem Stück Lavendelseife, das ihm seine Mutter geschickt hatte. Dann betastete er Kinn und Wangen, legte eine neue Klinge in den Rasierer und hobelte sich die Schwielen von den Händen.

Er zog seine senffarbene Manchester-Hose an und nahm ein frisches Hemd aus dem Wandschrank. Ungebügelt war es, aber weiß, und er ließ den Kragen offen und schlüpfte in eine dicke blaue, mit zwei Knopfreihen versehene Wolljacke. Die Haare, die der Friseur in Sehestedt immer Drahtstifte nannte, brachte er mit etwas Melkfett in Form und schmierte auch die Stiefel damit ein, polierte sie blank. Schließlich nahm er sich Geld aus der Blechbüchse mit dem eingeprägten Mohr und stieg auch schon wieder die Leiter hinab, das heißt, er glitt an den Holmen hinunter, zog sein Fahrrad aus der leeren Bullenbox und fuhr ohne Licht zum Kanal.

Auf den Feldern glänzten die Spitzen der Frühsaat wie Glas unterm Mond, der immer noch nicht hoch stand. Jagdbomber glitten daran vorbei, ein kleines

Geschwader Richtung Kiel, man konnte die Piloten in den Kanzeln sehen. Auf einer abgesteckten Weide längs der Straße standen Schnucken, dickwollige Tiere, um einen Haufen Heu herum, und ein Collie schoss unter dem Karren des Schäfers hervor, sprang aber nicht über den Graben. Lautlos lief er neben ihm bis zum Wald, wobei sein Fell aufschwebte bei jedem Schritt, und machte ebenso still und stolz wieder kehrt. Zwischen den hohen Buchen sah das Mondlicht diesiger aus, und die Hülsen der Eckern auf dem Weg knackten unter den Gummireifen.

Die Musik aus dem »Fährhof« kam von der Schallplatte oder aus dem Radio, Walter erkannte die Stimme von Hans Albers. In dem hart an die Böschung gebauten und rundum verdunkelten Lokal gab es meistens elektrisches Licht; Sybel Jahnson, Wirt und Fährmann, konnte den Motor seines Bootes mit wenigen Handgriffen zum Generator machen. Vor dem Giebel waren Tarnnetze gespannt, ein Baldachin auf Fichtenstämmen, unter dem ein Hanomag-Transporter und zwei staubige Mercedes 170 standen, SS-Runen auf den Nummernschildern. Die Lampen waren verhüllt.

Walter lehnte sein Rad an den Beiwagen von Kobluhns Zündapp und fuhr sich noch einmal durch die Haare, ehe er die Tür aufzog. Dicht hing der Rauch über dem Tresen mit der alten Galionsfigur, einer Windsbraut in einem goldenen Kleid, und das Singen, Lachen und Gläserklingen hallte hinter ihm über das Wasser. Fietes Freundin Ortrud zapfte mit ihrer Mutter Bier und winkte ihm zu, wies in den Saal. Glücklich sah sie aus, trotz der Fehlgeburt vor drei Wochen, und das leicht verschwitzte Gesicht ließ ihr Lächeln noch strahlender erscheinen. Niemand schminkte sich die Lippen so rot wie sie.

»Davon geht die Welt nicht unter«, schnarrte es aus dem Volksempfänger an der Wand. Daneben hing das Banner des Reichsnährstands, Schwert und Ähre. Zigaretten oder Schnapsgläser in den Händen, standen Soldaten ohne Mützen zwischen den Gästen, und unterhielten sich betont heiter und leutselig. Es waren höhere Dienstgrade der Waffen-SS in sauberem Feldgrau und gewichsten Stiefeln, und während Walter auf die Saaltür zuging, konnte er die Pomade im Haar eines Scharführers riechen. Er trug den linken Arm in einer Schlinge, und auch die gesamte linke Gesichtshälfte war versehrt, eine großflächige Narbe. Das Auge tränte.

Helme hingen am Garderobenständer. Elisabeth saß auf der Fensterbank neben der Bühne. In dem dunkelgrünen Kleid mit dem Stehkragen, das Frau Thamling ihr geschenkt hatte, wirkte sie überhaupt nicht mehr mädchenhaft, zumal sie geschminkt war und sich sehr gerade hielt. Die schwarzen Locken wurden von einem Perlmuttreif gebändigt, die Lidstriche waren ein wenig über die Augenwinkel hinausgezogen, und offensichtlich hatte sie Ortruds Lippenstift benutzt. Zu dem Seidenkleid trug sie die Gummistiefel, in denen sie aus Danzig geflohen war, sie besaß keine anderen Schuhe, und kaum nickte er ihr zu, hob sie das Kinn und sah an ihm vorbei, als erwarte sie jemand andern. Doch dann streckte sie ihm die Zunge heraus, nur die Spitze.

Ein Transparent mit der Aufschrift »Kampf bis zum Sieg! Lever dood as Slaav!« hing über der Bühne, und nun hatten auch die anderen ihn bemerkt. Hedwig, die neben ihr saß, reckte die Arme in die Luft und winkte mit beiden Händen. Fiete, im Sitzen schwankend, drehte sich eine Zigarette und griente ihn an. Immer noch trug er die Kluft, in der er täglich molk, Schuhe mit Stahlkappen, eine weite Drillichhose und einen blauen Pullover voller Mottenlöcher, und seine Hände waren schmutzig. »Da kommt ja unser Vorarbeiter«, sagte er mit verwischter Stimme. »Sieg heil, Kamerad. Alles im Schlüpfer?«

Hedwig, Ortruds Schwester, Haushälterin bei den Thamlings, rammte ihm einen Ellbogen in die Seite, und Walter schüttelte den Kopf. »Wie siehst denn du aus?«, fragte er und strich ihm einen Strohhalm aus den blonden Locken, richtete seinen Pulloverkragen. »Konntest du dich nicht mal waschen und kämmen und dir anständiges Zeug anziehen? Und wieso bist du schon so blau?«

Fiete schlug die Beine übereinander und zog an seiner Zigarette, die viel zu locker gedreht war. In seinen Lippenwinkeln, wie so oft, klebte etwas getrockneter Speichel, und schloss er die umschatteten Augen, sah er wie ein Mädchen aus; schmal das Gesicht, haarlos der Teint, und die Wimpern waren lang und geschwungen. »Melde gehorsamst, mein Führer: Anständige Sachen hab ich nicht. Noch nie gehabt. Und wir sind doch hier im Stall, oder? Es stinkt jedenfalls so. Ich sehe nur Rindviecher von der SS.«

Nun war es Walter, der ihm einen Stoß gab. »Lebensmüde, du Idiot?« Er sagte es hinter den Zähnen. »Statt dauernd große Reden zu schwingen, mach mal besser deine Arbeit! Was haben die verschissenen Stiefel und Schürzen im Milchraum zu suchen? Die Siebtücher waren nicht eingeweicht, überall lagen Schemel rum, und die Kälber standen im Zug. Kaum ist der Alte mal nicht da, lässt du alles schleifen. Auch deine Kammer sieht aus wie Sau. Ich sag dir, wenn der dir noch einen Vermerk reinwürgt, ist zappenduster. Dann kannst du deine Gesellenprüfung vergessen.«

»Uff«, machte Fiete und strich die Asche am Rand eines Pflanzenkübels ab. »Der große Häuptling Ata hat gesprochen. Alles muss immer blitzblank sein.« Er zog eine Flasche Dreistern aus der Hosentasche, trank einen Schluck. »Aber das sind die verdammten Flüchtlingsweiber, Mann! Die wissen gar nicht, wo vorne ist bei so 'ner Kuh. Die würden Besenstiele melken. Also erkläre ich denen, wie das geht, und das kostet natürlich Zeit: Schön sanft das Fett auftragen. Nicht ziehen an den Zitzen, drücken. Nicht kurz vorher aufhören, sondern gründlich ausstreichen das Tier. Und bis man wieder in den Klamotten steckt ...« Er hielt Elisabeth die Flasche hin. »Stimmt's, meine Kleine?«

Die verzog das Gesicht, tippte sich an die Stirn. »Fiete, du bist eine alte Sau, so richtig ordinär!«, sagte sie. »Kein Wunder, dass sie dich vom Gymnasium geschmissen haben.« Dann trank sie etwas von dem Schnaps, schüttelte sich und gab die Flasche an ihre Freundin weiter.

»Nein«, entgegnete Hedwig und wischte mit dem Handballen über die Öffnung. »Er ist eine junge Sau.

Wo hast du eigentlich den Fusel her, du Gauner? Aus meiner Küche?«

Fiete sank gegen das Fensterkreuz, paffte den Rauch aus und schwieg, und Walter sagte: »Den hat er wahrscheinlich gegen Rahm getauscht. Ist ja egal, ob wir die Butter liefern können; ist nur Wehrkraftzersetzung. Was sind schon ein paar Jahre Lager ... Und wo warst du heute Abend? Wolltest du mir nicht was zum Essen hinstellen?«

Hedwig, die sich die kastanienbraunen Haare zu Zöpfen geflochten hatte, zwei in sich gedrehte Affenschaukeln, machte große Augen. »Wie bitte? Na, hab ich doch!«, sagte sie in beleidigtem Ton und drückte den Rücken durch. »Was ist denn mit dir heute? Einen Teller voller Schinkenbrote, mit Gewürzgurke und Ei. Hatte sogar noch bisschen Kompott. Stand in der Kammer!«

Sie trug einen plissierten Wollrock und ihre BDM-Bluse, ohne Krawatte, und er wies auf die Kette mit den Schlüsseln, die in ihrem Ausschnitt hing. »Aber ich kam nicht in die Küche«, sagte er, woraufhin sie erschrocken Atem holte und sich eine Hand vor den Mund hielt.

Doch hinter den Fingern lächelte sie. »Entschuldige, Ata! Tut mir wirklich leid. Ich koch dir auch morgen dein Lieblingsgericht, versprochen! Hab noch eine Dose Spinat.«

Ernst Kobluhn, ihr Verlobter, kam aus dem Schankraum und stellte ein kleines Tablett voller frisch gezapfter Biere auf die Fensterbank. Auch er trug die Felduniform der Waffen-SS, mit einem Stern auf dem

Kragenspiegel und dem schwarzen Verwundetenabzeichen in Herzhöhe. »Es lebe der Reichsnährstand!«, sagte er und schlug Walter auf die Schulter. Sie kannten sich aus dem Ruhrpott, waren Nachbarn in Essen-Borbeck gewesen. Beide hatten sie nach der Volksschule Bergmann werden wollen, wie fast alle in der Klasse, doch da die meisten Zechen wegen der Luftangriffe geschlossen waren, hatte das Arbeitsamt sie in den Norden geschickt. »Na, mein Bester, wie geht's? Lange nicht gesehen. Was vom alten Urban gehört?«

Walter nahm sich ein Bier. »Nein, nichts Neues. Seit der Versetzung kommt keine Post mehr – sagt jedenfalls meine Mutter. Was macht ihr denn hier, du und deine Kameraden? Müsstet ihr nicht an der Front sein?«

Ernst, eigentlich Buchhalter im Holzwerk, hatte sich vor einem Jahr freiwillig gemeldet, und grinsend ließ er die Hand gegen seine Pistolentasche klatschen, das polierte Leder. »Na, sind wir doch, Ata, sind wir! In diesen Zeiten muss Schluss sein mit dem elenden Etappengeist. Die Front ist überall!«

Walter nickte stumm und sah zur Bühne, wo die Musiker Platz nahmen, auch sie in Uniform. Einige legten ihre Krücken und Stöcke vor sich auf den Boden, ehe sie nach den Instrumenten griffen, und Fiete schraubte seine Dreistern zu und sagte: »Hallo, großer Krieger! Schon wieder ein neues Stück Lametta? Stimmt es eigentlich, was man so hört: Sie haben dir ein Ei abgeschossen?«

Elisabeth kniff ihn in den Arm; der Angesprochene blieb jedoch heiter. »Nun ja, ganz falsch ist es nicht.

Das war ein Querschläger, bei einer Strafaktion. Ist schon Generälen passiert, Imi. Manchmal vergisst man eben, den Leuten die Gürtel abzunehmen, und plötzlich springt so 'n Ding von der Schnalle. Aber wenn du's genau wissen willst: Alles ist bestens verheilt und funktioniert prächtig.« Er zwinkerte Hedwig zu. »Kannst ja deine Schwägerin fragen.«

Die öffnete theatralisch den Mund und hob die Hand, als wollte sie ihn ohrfeigen. Doch Fiete, der seine Kippe auf der Fensterbank ausdrückte, gab keine Ruhe. »Du hast dir also selbst ein Ei abgeschossen … Und was heißt jetzt Strafaktion?«, fragte er und ignorierte Walters Blick. »Habt ihr welche umgelegt? Zivilisten?«

»Na, du bist gut!« Ernst maß ihn verächtlich. »Fährt man denn zum Kaffeetrinken an die Front? Die Partisanen hatten uns Verluste zugefügt, also sind wir in die Dörfer und haben ihre Familien und das Vieh dezimiert. Granaten in die Ställe, und zack! Meinst du, mir gefällt so was? Hab die Schreie der Pferde noch in den Ohren, kaum auszuhalten. Aber das ist nun mal das Kriegshandwerk, die härteste Arbeit, die man sich vorstellen kann.«

Fiete grunzte und zog ein Taschentuch hervor, einen verklumpten Fetzen. »Granaten in die Ställe, Familien dezimieren …«, murmelte er und zupfte ihn auseinander. »Ach, du armer Sägemehl-Soldat, was weißt denn du! Hast du schon mal einer Kuh beim Kalben geholfen? Wenn sie Koliken kriegt, weil die Gebärmutter verdreht ist? Oder das Becken ist zu eng und das Junge liegt quer und will nicht ans Licht? Das reißt dir die Gelenke raus, und dir platzen die Adern in den

Augen. – Was auf die Welt bringen, das ist die härteste Arbeit. Zerstören und töten kann jeder Idiot.« Er schnäuzte sich und fügte gedämpfter hinzu: »Womit ich natürlich nichts gegen dich gesagt haben will. Es gibt auch intelligente Idioten.«

Ernst wurde bleich und schien die Zähne zusammenzubeißen; seine Wangenknochen zuckten. »Fiete!«, rief Hedwig, die Stimme plötzlich schrill. Sie hob die spitz angemalten Brauen, und ihr ängstlicher Blick flackerte zwischen ihm und dem Verlobten hin und her. »Du bist ja total besoffen, du rammdösiger Kerl! Wie kannst du so reden!« Rasch nahm sie zwei Biere vom Tablett und hielt sie ihnen hin; die Hände zitterten. »Ihr werdet euch jetzt anständig aufführen, hört ihr! Ich will Frieden in der Familie.«

Doch der Melkerlehrling ignorierte das Glas, steckte sein Tuch wieder weg. »Da hättest du dir aber nicht so einen angeln sollen«, murmelte er, glitt von der Fensterbank und schlenderte quer durch den Saal zu den Toiletten; der Dreistern beulte ihm die Hose aus.

In dem Augenblick erklang ein Schlagzeugwirbel, und der Trompeter, ein einarmiger Mann, blies einen Tusch in den Rauch, das Signal für den Tanz. Irgendwo kläffte ein Hund, und die Gäste, meistens Frauen und ältere Männer, umfassten einander in der Ausgangsstellung und sahen sich in die Augen. Manche wippten mit den Fußspitzen oder zählten den Takt vor, und kaum setzte die Kapelle ein, füllte Paar um Paar in kreisenden Bewegungen die Fläche, eine dicht gedrängte, nach Schweiß und Schnaps und Rosenwasser riechende Menge, in der auch Hedwig und Ernst verschwanden und Fietes Blondhaar schon nicht mehr zu sehen war.

»Ein Freund, ein guter Freund ...« Elisabeth, beide Hände auf die Fensterbank gestützt, ließ die Beine baumeln und summte das Musikstück mit. Dabei vermied sie es, Walter anzusehen. Sie nickte einem Bekannten zu und drohte ihrer jüngeren Schwester, die sich eng an einen Landser schmiegte, mit dem Finger. »Na, was ist, Glotzkowski?«, sagte sie aus dem Mundwinkel heraus. »Noch nie ein Seidenkleid gesehen? Willst du mich nicht zum Tanz auffordern?«

Sie hatte sich die Partie über den Schläfen, wo die Haare sehr dünn waren, mit Holzkohle oder einem angesengten Korken geschwärzt, und Walter nippte von dem schaumlosen Bier. »Nein, ich kann nicht tanzen«, sagte er. »Hab verbrühte Füße, falls du dich erinnerst. Jeder Schritt tut weh. Warum bist du denn gestern Nacht nicht gekommen? Hättest sie mir einsalben können.«

Doch Elisabeth antwortete nicht darauf, oder nicht direkt. Sie straffte sich etwas, hob das Kinn und blickte in den Schankraum; dabei schob sie die untere Lippe über die obere und kratzte sich mit dem kleinen Finger am Hals. »Na gut, wie du willst«, sagte sie schließlich. »Wehleidige Männer sind sowieso nicht mein Fall. Dann werde ich jemand anderen finden.«

Hörbar wich Luft aus den Stiefeln, als sie von der Fensterbank sprang. Sie lief nach vorn und stellte sich zu den Soldaten, wo ihr Mark Hunstein, der dicke Ortsbauernführer, sogleich eine Zigarette gab und einen Schnaps einschenkte. Dabei sagte er etwas nah an ihrem Ohr, und als Elisabeth lachte, fiel Walter einmal mehr auf, dass sie eigentlich nicht schön war. Sie hatte schiefe, seltsam graue Zähne, eine viel zu lange Nase, winzige Brüste und kaum Hüften; doch glaubte man die Glätte ihrer Haut schon unter den Fingern zu fühlen, wenn man sie nur ansah. Zudem gab es etwas Funkelndes an ihr, das vielleicht aus ihrer Frechheit kam, eine ganz besondere Kraft, die sich weniger in den kleinen, immer etwas ängstlich blickenden Augen zeigte als vielmehr im Glanz ihrer schwarzen Brauen. Manchmal dachte er, dass sie tatsächlich etwas von einer Zigeunerin hatte.

Die Kapelle spielte jetzt »Das kann doch einen Seemann nicht erschüttern!«, der Trompeter sang. Walter zwängte sich zwischen den Tanzenden hindurch zur Küchentür mit dem Bullauge und hatte schon die Klinke in der Hand, als ihm jemand auf den Rücken klopfte. Die Gesichtshaut rot, die Lippen rissig, trug Klaas Thamling seinen Ledermantel mit dem goldenen Parteiabzeichen am Revers. »He, he, nicht fahnenflüchtig werden«, sagte er und strich sich die schütteren Haare zurück. Unter seinen Tränensäcken waren noch die Abdrücke der Motorradbrille zu erkennen. »Wo willst du denn hin? War alles in Ordnung?«
Walter nickte. »Keine besonderen Vorkommnisse. Petroleum und Lecksteine werden langsam knapp. Und vielleicht kalbt die Blanke demnächst. Man kann die Fruchtblase sehen.«

Der Alte lockerte sich die Krawatte. »Na ja, warum auch nicht. Schnitzel für den Endsieg. Und wie viel Milch?«

»Knapp sechshundert Liter. Das meiste wurde schon abgeholt, ohne Quittung. Haben Sie den Trecker zurückgekriegt?«

Kopfschüttelnd tippte der Verwalter gegen das Hakenkreuz. Es gehörte dem Gutsbesitzer, Wehrmachtsgeneral van Cleef, Anfang des Krieges gefallen; Thamling, der nicht in der Partei war, benutzte es manchmal auf Behördengängen. »Das Bonbon hat nichts gebracht, Junge. Wahrscheinlich würden die sogar den Führer abwimmeln. Pferde wollen sie uns geben, irgendwelche polnischen Klepper aus Kavalleriebeständen. Da mähen wir am besten gleich mit der Sense.« Er kramte sein Etui hervor. »Na gut, ich werd noch eine Zigarette rauchen und ein bisschen schleimscheißen bei dem Ortsbauerntrottel, von wegen Fettquote und so. Pass auf deinen Kollegen auf und geht nicht zu spät ins Bett, hörst du. Um halb fünf will ich Licht in den Ställen sehen. Um sieben holen sie das Schlachtvieh ab.«

»In Ordnung«, sagte Walter und öffnete die Tür. Die Jahnsons hatten überall Reusen liegen und immer ein paar Aale oder Schollen in der Pfanne, und es duftete nach gebratenem Speck, als er in den Küchengang trat. Uniformierte standen darin, zwanzig oder mehr, und aßen Kartoffelsalat aus ihren Geschirren. Karabiner und MP's lehnten an den Wänden, manche mit Bajonett, und auf einem Schemel vor der Durchreiche saß ein Offizier.

Das rote Bändchen des Eisernen Kreuzes im Knopfloch,

rührte er in einer Tasse, und Walter hob die Hand zum Deutschen Gruß, wobei er den Arm angewinkelt ließ, der Enge wegen. Dann blickte er durch die Luke, legte ein Markstück auf das Brett und sagte: »Gibst du mir 'n Fischbrot, Sybel? Hatte noch kein Abendessen.«

Die Musik im Saal verstummte, Tische und Stühle wurden gerückt, und der Truppenführer, auf dessen Ärmelstreifen »Frundsberg« stand, der Name der Division, musterte ihn von Kopf bis Fuß. Er trank einen Schluck, leckte sich die Lippen und sagte: »Na, wenn das kein Prachtexemplar für die Leibstandarte ist. Kenne ich dich, Kamerad? Sind wir uns schon mal begegnet?«

Nebenan schien jemand eine Rede zu halten, man hörte markige Töne, und der Angesprochene zuckte mit den Schultern. »Weiß nicht ...«, antwortete er. »Vorhin wohl, im Schankraum. Ich arbeite auf dem Gut hier, als Melker.«

Der Offizier schob sich den Mützenschirm, das schwarze Vulkanfiber, mit dem Teelöffel aus den Augen. »Als was? Wieso? Und wer kämpft für dein Vaterland?«

Walter nahm das Brot entgegen, das der Wirt ihm zusammen mit dem Geldstück über das Brett geschoben hatte. Es war ein Doppeldecker, dick gebuttert und mit Räucheraal belegt, und er biss sogleich hinein und sagte mampfend: »Bin doch erst siebzehn. Wir sind kriegswichtig hier.«

Nebenan wurde applaudiert, und der andere lachte auf, ein spöttischer Laut, und öffnete den Knopf an seinem rechten Gelenk. Mit den Zähnen zog er den Handschuh von den Fingern, und nachdem er sich eine Zigarette angesteckt hatte, ließ er das Zündholz auf den Boden fallen, wo es weiterbrannte. Doch Walter wagte nicht, auf das Flämmchen zu treten.

»Kriegswichtig …«, grunzte der Offizier. »Was es alles gibt! Jung und gesund und drückt sich in der Milchetappe rum. Habt ihr dafür keine Weiber?« Er nippte erneut von seinem Tee und winkte ihn mit den Fingerrücken hinaus. »Setz dich mal rasch wieder in den Saal, Freundchen, da wird dir nämlich gesagt, was wirklich kriegswichtig ist.«

Walter nickte, biss erneut von dem Brot ab und ging grußlos zur Tür. Die Silberpaspeln und eingestickten Totenköpfe an den Käppis der Soldaten schimmerten matt, und obwohl kaum einer größer oder kräftiger war als er, schienen sie auf ihn herabzublicken und machten ihm nur zögernd Platz. Er stieß gegen Holster und Patronentaschen und trat wohl auch auf einen Fuß; die Beleuchtung war schlecht.

Die Musiker hatten ihre Instrumente zur Seite gelegt. Die Gäste saßen an den Tischen oder auf den Bänken längs der Wände, und er schluckte das letzte Stück Aal hinunter, zog die Küchentür zu. Elisabeth drehte eine weiße Papierblume zwischen den Fingern und schien wie alle dem Redner zuzuhören, jenem Offizier mit der vernarbten Gesichtshälfte und dem Arm in der Schlinge. Doch um ihren strengen Mund herum löste sich etwas und ließ ihn weich und sehr elegant erscheinen, als er sich zu ihr setzen wollte. – Da aber trat ihm ein SS-Mann in den Weg, ein breitschultriger mit einem Ehrendolch am Gürtel, und sagte: »Nach vorn, Kamerad. Du gehst gefälligst nach vorn!«

Der Angeherrschte blinzelte in den Rauch. An der

Lampe aus Hirschgeweihen hingen noch ein paar Luftschlangen von der letzten Sylvesterfeier, und erst jetzt, während er nach der Hand des Soldaten griff und sie von seinem Arm nahm, fiel ihm die Unterteilung des Publikums auf: Abgesehen vom alten Thamling, dem Ortrud ein Bier über den Tresen schob, saßen oder standen alle Männer aus der Umgebung, auch die Greise, die verwundeten Landser auf Heimaturlaub, die Lehrlinge der benachbarten Güter und der weiß-haarige Ortsbauernführer, im vorderen Drittel des Saals, und Walter wischte sich kurz über den Ärmel und rückte neben Fiete auf die Bank. Der hielt ihm seine Flasche hin.

»... doch wir haben die Stellung gehalten!«, sagte der Offizier auf der Bühne und winkte ab, als hier und da jemand klatschen wollte. »Wir haben die Stellung ver-teidigt und mehr: Der Ruf der Waffen-SS als Front-Feuerwehr wurde aufs Schönste bestätigt. Wo wir sind, da ist der Sieg, das weiß jeder. Und warum sind wir so stark? Warum lassen wir uns von keinem Grana-tenhagel auseinandertreiben?« Er schlug sich mit der Faust gegen die Brust. »Weil wir eine Haltung haben, eine Ehre, und das ist kein leerer Begriff, kein Kan-zelgeschwätz dünnblütiger Moralapostel. Denn wenn wir so ein Wort in den Mund nehmen, wenn wir Ehre sagen, Männer, meinen wir etwas Handgreifliches, das allen hilft und das jeder von uns einfordern kann.« Sei-ne braunen Wildlederhandschuhe waren blank an den Fingerkuppen, und er wies auf das kreisrunde Kop-pelschloss an seinem Gürtel. »Hier steht's, in Metall gegossen: *Meine Ehre heißt Treue.* Und das bedeutet:

Treue zum Führer, zum Volk und zum Vaterland, Treue zur Division und zum Kameraden, in welcher Not er auch sei. Und Treue zum unverbrüchlichen Glauben an den Sieg!«

Einen Moment lang war es still. Die Hände im Schoß verschränkt, den Hinterkopf am Wandpaneel, hielt Fiete die Augen geschlossen und stieß einen leisen Schnarchlaut aus. »Glaubt mir, ich weiß, wovon ich rede. Ich war schon fast tot«, fuhr der Offizier fort. »Die feindlichen Geschosse hatten uns wie Herbstlaub durcheinandergewirbelt. Mit einem Splitter in der Achsel lag ich unter einem brennenden Panzer und hätte verzweifelt sein können. Aber ich hatte keine Angst. Ich wusste, dass ich auf die Treue meiner Kameraden zählen konnte und sie notfalls in die Hölle steigen würden, um mich zu retten. Und so war es, Männer, so wird es immer sein: Sie holten mich da raus. Wir dachten an die barbarischen Horden, an die bolschewistische Gefahr und eure unschuldigen Kinder, schüttelten uns den Dreck von den Schultern und stürmten weiter – und zwar bis zum Sieg!«

Beim letzten Wort stampfte er mit dem Absatz auf und riss den gesunden Arm in die Höhe, worauf der Ortsbauernführer und vereinzelte Frauen im Saal mit einem lauten »Heil!« antworteten. Zaghaft der Applaus, doch wurde er von den Soldaten an den Saalwänden durch kräftigeres Klatschen befeuert, und schließlich trampelten einige Gäste sogar, und der Redner, dem der Schweiß vom Kinn tropfte, blickte kurz einmal auf Fietes reglose Hände hinab.

Er trank einen Schluck Wasser, und nun kam Mark

Hunstein auf die Bühne. Die Stufen knarrten unter dem großen Mann. Er trug das Sakko offen, und sein Bauch, von dem die Westenzipfel abstanden, wölbte sich schwer über den Hosenbund. Auch an seinem Kragen steckte ein goldenes Parteiabzeichen, und wenn er lächelte, bleckte er die Zähne und verengte die Augen unter den weißen Brauen so, dass man die Iris nicht mehr sah. Dem Offizier die Hand schüttelnd, sagte er etwas nah an seinem krabbenartig verbrannten Ohr, und schließlich wendete er sich dem Publikum zu.

»Danke!«, rief er und lockerte den Krawattenknoten. »Vielen Dank für die große Ehre, die Sie uns mit Ihrem Besuch erweisen, lieber Ritterkreuzträger Frick, und für die atemberaubenden Schilderungen! Sicher wird das allen unvergesslich bleiben. Hier im Raum jedenfalls ist niemand, der Ihren Leistungen nicht Bewunderung zollt, und wir können nur hoffen, dass auch unser Tun und Wirken etwas zu der Kampfkraft Ihrer Männer beigetragen hat. Denn wie sagt mein alter Freund Thamling immer: Kein Krieg ohne Milch!« Augenzwinkernd klopfte er sich auf den Bauch. »Wobei ein Kümmel manchmal auch nicht schadet.«

Das Publikum lachte, jemand pfiff, und er hob einen Finger. »Ich weiß, liebe Freunde, ihr wollt weitertanzen. Ihr wollt euch vergnügen und wieder einmal sorgenfrei sein, und ihr habt es auch verdient, ihr sollt tanzen. Lasst mich nur noch eins sagen: Die Zeiten sind hart und entbehrungsreich, aber wir alle haben gerade gehört: Andere erleiden Härteres, entbehren schmerzlicher, und wir werden nicht zögern, ihnen beizustehen. Was wären wir denn für ein schäbiger Teil des Vaterlandes, wenn wir nach diesen Schilderungen von Opfermut und selbstloser Größe so weitermachen würden wie bisher?«

Er schwenkte den Arm, wies auf die Soldaten an den Wänden. »Wer könnte diese mutigen und opferbereiten Männer heute Nacht ins Feld zurückschicken, ins Feuer, und nach Hause gehen, als wäre dies nur ein Tanzabend gewesen, eine Stunde ohne Schicksal und Verpflichtung? O nein, liebe Freunde, so etwas gibt es nicht mehr! Auch wir dienen dem Führer, auch wir haben eine Ehre und eine Treue, die kein Feind mit Füßen treten darf. Kampf bis zur letzten Patrone, heißt die Devise, lieber tot als versklavt, und darum ...«

Er kam nah an den Bühnenrand, der mit einem roten Plisseestoff bespannt war, und ballte die fetten Hände. »Darum, meine Freunde, schlage ich vor, dass jeder Mann auf diesem Fest, sei er jung oder älter, jeder, dem das Leben seiner Familie und seiner Scholle lieb ist und der ein Gewehr halten kann, noch heute Abend freiwillig in die siegreiche Waffen-SS eintritt. Das sind wir unseren Helden an der Front einfach schuldig!«

Die Fäuste gegen die Hüften gedrückt, zog er das Kinn an den Hals, und ein paar Herzschläge lang schien es, als hätte die jähe Stille das Publikum gelähmt. Kein Lid zuckte, keine Hand, nur etwas Zigarettenrauch kräuselte sich hier und da, und der Bauernführer riss die kleinen Augen auf. »Wer dagegen ist ...«, fügte er leiser hinzu, strich sich das Haar zurück und ließ ein Schnalzen hören, als hätte er etwas zwischen den Zähnen. »Wer dagegen ist, kann ja jetzt aufstehen.«

Kalt musterte der Offizier die Männer vor der Rampe, und Walter erschrak, als Fiete sich kaum merklich straffte und in den Saal blickte, in dem nun ein allgemeines Flüstern, Murmeln und Füßescharren begann. Eine Frau schluchzte auf, kurz nur und dunkel, als hätte sie sich gleich eine Hand vor den Mund gehalten, und da er so nah neben dem Freund saß, dass sich ihre Schultern berührten, fühlte Walter das leise Zittern, das ihn durchfuhr, hörte das Rumoren in seinem Bauch, und wie er entschlossen Atem holte … Rasch griff er ihm in den Rücken und wand sich den Pulloverstoff um die Faust. Gleichzeitig trat er auf seinen Fuß, den Arbeitsschuh, und zischte nah an seinem Ohr: »Bist du irre? Bleib sitzen! Die Küche ist voller SS. Die machen Hackfleisch aus dir!«

Da schloss der Junge die Augen und sank wieder gegen das Paneel. Der Offizier steckte sich eine Zigarette an, und der Ortsbauernführer klatschte einmal hart in die Hände, rieb sie gegeneinander. »Na bitte, ich wusste doch, dass es bei uns keine Drückeberger gibt. Deutsche Herzen, das Reich kann stolz auf euch sein. Alle wehrfähigen Jungen und Männer gehen jetzt mal nach vorn, wo der Ernst Kobluhn sitzt und euch für morgen früh registriert. Dann erfahrt ihr das Weitere. Und hier wird in die Tasten gehauen, wenn ich bitten darf! Auch ein Krieger muss mal tanzen. Heil Hitler!«

Nur wenige applaudierten oder erwiderten den Gruß; die Musiker bückten sich nach ihren Instrumenten. Der einarmige Trompeter intonierte »Kauf dir einen bunten Luftballon«, und Walter stand auf und sah sich nach Elisabeth um. SSler durchkämmten den Saal und trennten die tanzenden Paare, sofern sie nicht aus

Frauen bestanden, ließen sich Soldbücher, Kranken-
nachweise und Urlaubsscheine der Männer zeigen,
und einer griff sogar nach dem Hosenstoff eines Hin-
kenden, zog ihn ein Stück weit hoch und musterte die
Stelze mit dem angenagelten Schuh. Und als seine Frau
protestierte, schlug ihr ein anderer das Käppi auf den
Mund.

»Alles Idioten!«, murmelte Fiete, trank den Rest aus
seiner Flasche und legte dem Freund einen Arm ums
Genick. »Na, scheiß drauf! Komm, lass uns sterben
gehen.«

Irgendwo fielen Gläser zu Boden. Vor dem Stammtisch
mit der Glocke hatte sich bereits eine kleine Gruppe
gebildet, und Thamling fuhr in seinen Mantel und
nickte Walter zu. »Das hätte man sich ja denken können«, murmelte er. »Als ob der Reichsnährstand einfach so ein Fass spendiert, aus Menschenliebe … Wie
soll das bloß weiterlaufen. Jetzt kann ich den Betrieb
mit Fremdarbeitern schmeißen, oder was. Legt mir
morgen nach dem Melken alle Schlüssel auf die Treppe, auch den für die Meierei. Und um die Blanke müsst
ihr euch heut Nacht nicht kümmern, ich schau nach
ihr. Kümmert euch lieber um eure Mädchen.« Er strich
Fiete durch die wirren Haare und gab ihnen, was er in
alle den Jahren noch nie getan hatte, die Hand. »Wenn
ihr heil zurückkommt, könnt ihr jederzeit wieder bei
mir anfangen.«

Er zog seine lederne Kappe aus der Tasche und drückte
die Tür auf. Kalte, fast eisige Luft wehte herein, und
Ernst Kobluhn, der jetzt eine Drahtbrille trug, ein run-
des, am Hinterkopf mit einem Band gesichertes Ge-

stell, winkte einen Greis weiter und schmunzelte, als Walter und Fiete an die Tischkante traten. »Schau an, wer hätte das gedacht! Ata und Imi kommen doch noch an die Front«, sagte er. »Das wird ein Aufwischen geben! Aber jetzt geht's erst mal zum Schleifen ins schöne Hamburg-Langenhorn, und danach, wer weiß ... Vielleicht habt ihr ganz schnell das Bajonett vom Iwan im Arsch und könnt euch ins Lazarett legen. Morgen früh am Holzplatz, festes Schuhwerk, kleines Gepäck.«

Er stempelte zwei Einberufungsbescheide, und Walter blickte zum Tresen. Ein Offizier ließ sich von Ortruds Mutter einen Knopf annähen, ein anderer las den »Völkischen Beobachter«. Die Wachtposten neben der Tür schauten den Tanzenden zu, und er beugte sich vor und tippte auf die Liste, auf der schon einige Namen und Adressen standen. »Du musst uns da nicht eintragen, Ernst, was soll das denn noch«, sagte er leise. »Die Tommys stehen in Kleve, die Russen vor Berlin; die ganze Schose ist eh bald vorbei. Wir sind doch Freunde, oder? Wozu jetzt noch bluten?«

Doch Fiete drängte ihn zur Seite. »Kommt überhaupt nicht in Frage!«, lallte er und hielt sich am Garderobenständer fest. Die Helme an den Haken schlugen gegeneinander. »Hör bloß nicht auf den Kuhjungen. Der ist feige wie Butter. Ich will kämpfen, ich bin die Wunderwaffe, mit Querschläger. Schreib mich da als General rein, du ... Schwager!«

Er beugte sich vor und rülpste ihn an, was Kobluhn jäh zurückweichen ließ. Schweißperlen auf der Nase, die Lippen nur noch ein Strich, schraubte er seinen grünen

Pelikan auf, denselben, den er schon in der Schule hatte, und als Walter noch einmal an den Tisch trat, um auf ihn einzureden, schüttelte er den Kopf und sagte durch die Zähne: »Sei lieber ruhig jetzt, Urban ...«

Der Reflex des Lampenscheins war derart, dass man seine Augen hinter den Brillengläsern nur momentweise sah, und rascher als Tinte durch die Feder floss, signierte er die Papiere und winkte sie weiter. »Pünktlich um sieben. Fernbleiben ist Desertion. Heil Hitler!«

Da ließ Walter die Schultern sinken. Doch Fiete salutierte, nuschelte »Drei Liter!« und drehte sich auf den Absätzen um.

Im Saal, wo gerade ein Tanz zu Ende war, wurde gejohlt und geklatscht, eine rhythmische Bitte um mehr Musik, die der Schlagzeuger übernahm und der Flötist in die ersten Takte des Königgrätzer Marsches übergehen ließ. Mit einem Tablett voller Scherben zwängte sich Ortrud zwischen den Gästen hindurch. Die flachsfarbenen Haare waren gelöst, Tränen liefen über ihre Wangen, und als sie die Schürzenschleife aufzog, zitterten die Hände. Dennoch versuchte sie zu lächeln, küsste und umarmte ihren Freund, flüsterte ihm etwas ins Ohr, und dann sah sie Walter an und sagte: »Du gibst auf ihn acht, oder? Er ist ein so dummer Junge.«

»Ich versuch's«, antwortete er. »Mach dir keine Sorgen. Wahrscheinlich ist alles schneller vorbei, als wir ausgebildet sind.«

Ihre Mutter schob ihm einen Schnaps über den Tresen, einen hellgoldenen Aquavit in einem beschlagenen Glas, und nun wurde »Für eine Nacht voller Seligkeit«

gespielt, und er reckte den Hals. Elisabeth war kleiner als die meisten Gäste, und da er den Haarschopf mit dem Perlmuttreif nirgends sehen konnte, knickte er etwas ein und suchte zwischen den vielen Beinen nach ihren Stiefeln, ebenfalls vergeblich.

Hedwig tanzte mit dem Bauernführer und winkte, und Walter kehrte die Handflächen vor und formte den Namen ihrer Freundin überdeutlich mit den Lippen. Doch sie machte ein ratloses Gesicht, und da winkte auch er und ging aus dem Lokal.

Kälter war es geworden, vereinzelte Schneeflocken trieben fast waagerecht über den Kanal. In dem Führerhaus des Hanomag glühten Zigaretten auf, und unter der Plane lachten Männer, kreischte eine Frau. Auch die bastumwickelten Griffe und der Ledersattel seines Fahrrads waren eiskalt, und langsam fuhr Walter durch das Buchenwäldchen, wo die gefrorenen Wegpfützen unter den Reifen klirrten. Die Halme der Frühsaat längs der Straße, vorhin noch straff und durchscheinend im Mondlicht, neigten sich nun, von einem Pelz aus Raureif überzogen, in alle möglichen Richtungen.

Der Schäferwagen und die Schnucken waren verschwunden, hinter den halbrunden Fenstern der Futterküche brannte kein Licht. Kaum noch Wäsche auf den Leinen, und Walter fuhr auf den Gutshof, öffnete das Stalltor einen Spalt und schob sein Rad in die Bullenbox. Dann zündete er die Petroleumlampe an und stieg die Leiter zu den Melkerstuben hoch. Auch auf dem Moos zwischen den Backsteinen glitzerte Reif. Die ungestrichenen Dielen, durch deren Fugen man auf den Heuboden und in den Kuhstall hinunterblicken konnte, bogen sich unter seinen Schritten.

Ein fadenscheiniger Jutestoff, war der Vorhang nicht ganz geschlossen. Mondlicht schien in die Kammer, und zuerst sah er das Kleid, das ordentlich über der Stuhllehne hing, die Papierblume im Knopfloch. Die Gummistiefel standen am Ende des schmalen Bettes, und als er langsam die Lampe hob – sie schien nur schwach, die Flamme blakte –, legte Elisabeth sich einen Arm über die Augen. Sie hatte sich die Lippen neu geschminkt, und das sichtbare Pochen ihrer Halsader und das tiefe Schwarz der Achselhaare nahmen ihm momentlang den Atem. Eine Hand gegen die Dachschräge gedrückt, das trockene Reet, trat er sich in die Hacken, um aus den Stiefeln zu kommen. Das Eisenbett knarrte. »Hoffentlich machst du bald das Licht aus!«, zischte sie und rückte zur Seite. »Sonst bin ich gleich wieder weg.«

Von der eigentlichen Kaserne war nur noch das Tor unversehrt, der mächtige Klinkerbogen. Zerschossen das Dach der Kommandantur, Regen prasselte auf die Tische, durchnässte Tapeten sackten vom Putz. Doch in der Baracke am Rand der Lehmgrube war es warm an diesem Nachmittag, an dem der Spieß Ausgangssperre angeordnet hatte und fast alle Rekruten – vierundzwanzig teilten sich den Raum – auf ihren Betten lagen und Briefe schrieben, Schach spielten oder einfach nur dösten. Die feuchten Socken und Mützen auf

45

dem Abzugsrohr dampften, und das Holz im Ofen verbreitete einen harzigen Duft.

Nicht nur die Unterkünfte, mit Strauchwerk bedeckt, auch die Transporter und Flugabwehrkanonen zwischen den Bäumen waren getarnt, und obwohl die Engländer seit einiger Zeit keine Kasernen mehr bombardierten, weil sie, wie insgeheim vermutet wurde, bald selbst einziehen wollten, hob der eine oder andere den Kopf, wenn Wind die Planen knattern ließ. Das Geräusch glich dem der Jagdbomber, die immer häufiger auch tags die Gegend überflogen und auf alles schossen, sogar auf Vieh. Weit sichtbar in der flachen Landschaft rauchten die Stalldächer, das schwelende Reet.

Walter ging ans Fenster und öffnete das Päckchen, das seine Mutter ihm geschickt hatte. Zwischen den Wassertropfen pickten Hagelkörner gegen die Scheiben. Die sieben Frauen aus dem Lager, die in der Grube arbeiteten, standen eng an eng unter dem Vordach des verwitterten Schuppens, einer rostigen Blechplatte. Nageldünne Rinnsale liefen durch die Löcher auf die geschorenen Köpfe und in die Halsausschnitte der Kittel und Jacken. Alle hielten den Blick gesenkt, und der Wachsoldat in dem langen Cape zog seinen Hund vom Gleis, als eine Lore, hoch mit Säcken beladen, den Hang herabgerollt kam. Die Hemmschuhe kreischten.

Zigaretten, eine Dose Cola-Schokolade, etwas Früchtebrot mit Zitronat und eine Fotografie des zerstörten Hauses befanden sich in dem Umschlag. Walter warf Fiete, der auf einem Hocker saß und sich die Blasen an den Füßen betupfte, ein Päckchen Overstolz zu. Der kleine Sven Jacobsen aus Elmshorn, seit zwei Tagen auf dem Stockbett über seinem einquartiert, pfiff leise durch die Zähne. »Euch muss es ja gutgehen!«, flüsterte er. »So eine Mutter möchte ich auch haben.«

Das Haus in Essen war nur noch ein Ziegelberg, ein Stück Schornstein und die Treppe ragten daraus hervor, und im Garten lag Lenis Harmonium, die verkohlten Reste. »Sicher geht es meiner Mutter gut«, sagte Walter und schob die Schokoladendose unter sein Kissen. »Sie hat einen neuen Schwarm, einen Beerdigungsunternehmer, ich krieg dauernd Zigaretten.« Er reichte auch Sven ein Päckchen, setzte sich mit dem Brief an den Tisch. »Das Problem ist nur, dass ich gar nicht rauche.«

Seine Mutter hatte einen Buntstift benutzt und die Spitze gelegentlich befeuchtet; dann waren die ersten Buchstaben eines Wortes etwas kräftiger blau. »Ich freue mich, daß Du noch in der Kaserne bist«, schrieb sie. »Vielleicht haben wir ja bald den Endsieg, und Du mußt gar nicht mehr ausrücken! Hier ist alles ein bißchen durcheinander. Gott sei Dank waren wir im Bunker, als die Bombe fiel. Herbert ist gut zu uns, und wir helfen ihm im Geschäft. Er hat viele Sargschreiner an der Hand, denn gestorben wird immer, wie es so schön heißt, und im Moment ja leider etwas mehr. Sein Haus, das Torhaus am alten Friedhof, Du kennst es, hat bislang nichts abgekriegt. Im Keller gibt es eine Tür, hinter der es noch tiefer hinabgeht, in die Katakomben. Früher waren das Zisternen – die Wasserspeicher der Brauerei! –, und jetzt haben sie dort Knochen gestapelt, gruselig. Aber es gibt keinen besseren Ort bei Luftalarm, man spürt kaum ein Zittern.

Von Deinem Vater höre ich nichts – zum Glück, hätte ich fast gesagt. Das mit der Degradierung stimmt wohl. Der alte Krüger, der auch in Dachau arbeitet und auf Urlaub hier ist wegen des Treffers, hat es mir bestätigt. Zigaretten hat er verschenkt an diese Kriminellen, oder wer da eingesperrt ist, eine halbe Schachtel Eckstein. Jemand von der Wachmannschaft hatte Bier verschüttet beim Skat, und die Kippen wurden zum Trocknen auf den Ofen gelegt. Da sind sie fast verbrutzelt, keiner wollte sie mehr rauchen. Also hat er sie den Sträflingen gegeben, und dafür wurde er versetzt, keine Ahnung, wohin.«

Das Licht veränderte sich, und Walter sah auf; vor der Baracke hielt ein Laster mit Holzvergaser. »Herzlichen Glückwunsch übrigens zu Deinem Geburtstag! Wenn Du etwas brauchst, laß es mich wissen. Es geht uns so weit erträglich, Herbert macht seine eigenen Preise. Niemand kann mir vorschreiben, für wie viel Mark ich eine Leiche anfasse, sagt er immer, und das stimmt! Manchmal rieche ich noch etwas an seinen Händen, aber vielleicht bilde ich mir das ein, denn er ist sauber. Und nun will ich schließen. (Mein Gott, achtzehn Jahre ... Hast Du ein Foto von Dir, in Uniform?) Sei herzlich gegrüßt von Deiner M.«

Walter wendete die feuchten Socken und Schiffchen auf dem Abzug und schob den Brief in die Glut. Zugluft pfiff durch die Fensterritzen, und obwohl es nach wie vor in Strömen regnete, kamen die Frauen unter dem Dach hervor und entluden den Karren. Wo die Säcke offen waren, quollen Akten, rostige Konservendosen und zerfetzte Häftlingskleider daraus hervor, und sie schleiften sie zu dem Tümpel, der nicht sehr tief zu sein schien. Nur knapp unter die lehmfarbene Oberfläche sanken sie, und einen Moment lang sah es aus, als liefe der Hund, ein Rottweiler, übers Wasser.

Die Tür wurde aufgestoßen, ein Schemel schlug um. Die Rekruten, fast alle in den schwarzen Trainingsanzügen mit den Runen auf der Brust, sprangen aus den Betten und nahmen Haltung an. Einige stöhnten, und Untersturmführer Dr. Rapp, »der Schnipper«, wie sie ihn nannten, hob kurz den Arm und musterte die wunden, von den Gewaltmärschen der letzten Nächte gezeichneten Füße seiner Männer. Grinsend drehte er das Deckenlicht an.

Er hatte eine Sanitätstasche dabei und legte ein Rasiermesser, ein Paket Watte und eine Handvoll kleiner, mit kurzen Nadeln gespickter Stempel auf den Tisch. Dann entkorkte er eine Apothekerflasche, goss eine klare Flüssigkeit in zwei nierenförmige Schalen und schraubte ein Tintenglas auf. »Also, herhören«, sagte er, und sank auf den Stuhl. »Ihr kriegt jetzt eure Blutgruppe eintätowiert. Die sollte ein Soldat zwar stets im Kopf haben, aber wer weiß, wo der gerade liegt ... Kleiner Witz. Macht die Innenseite des linken Oberarms frei und freut euch auf einen delikaten Schmerz.«

Er nahm seine Mütze ab, sah auf einen Zettel und nickte dem blatternarbigen Jörn Asmussen zu, ihrem Stubenältesten. Nach der Desinfektion der Stelle mit einem Wattebausch tunkte er den Stempel in die Tinte, zog die Haut mit Daumen und Zeigefinger straff und stach die Nadeln bis zum Anschlag hinein. Dann reichte er dem Mann ein Pflaster und strich den Namen auf seiner Liste durch. »Es kann übrigens sein, dass ihr das Zeichen mal loswerden müsst«, sagte er. »Geschichte ist launisch. In dem Fall rate ich euch, eine Zigarette darauf auszudrücken. – Sturmanwärter Caroli, A positiv, vortreten!«

Fiete raffte seinen Ärmel hoch und humpelte an den Tisch; kopfschüttelnd blickte der Spieß über die Kante. »Na schau mal an, unser Schöngeist. Waren die Tanzschühchen wieder zu eng gestern Nacht? Jod mag hilfreich sein, Junge, aber schneller heilt es, wenn du dir auf die Füße pisst.« Ein paar Rekruten schmunzelten, und er zog etwas Watte aus der Schachtel und reinigte damit das Glas seiner Uhr. »Das ist nicht komisch, Männer, es stimmt. Urin ist steril, wenn ihr gesund seid. Strullt euch auf die Wunden, auch im Feld, und gleich heilt alles dreimal so fix.«

Er drückte Fiete den Stempel in die Haut, und der kniff die Augen zusammen und stöhnte durch die gefletschten Zähne: »Melde gehorsam, Untersturmführer, ich hab auch Blasen an den Hacken.«

Der Offizier, die Lippen gespitzt, betrachtete die blutigen Nadelspitzen und nickte. »Ja, das wird schwierig, das sehe ich ein. Da bedarf es einer bestimmten Ausstattung und Gelenkigkeit, um sich nicht zu bekleckern.« Er zwinkerte in die Runde. »Musst du dir eben auf die Füße pissen lassen, nicht wahr.«

Manche verzogen die Gesichter, andere lachten laut, und auch Fiete grinste. Er stützte sich auf dem Tisch ab, wobei er fast die Mütze des Offiziers berührte, nahm das Pflaster entgegen und fragte in die allgemeine Heiterkeit hinein: »Werden wir eigentlich noch eingesetzt, Herr Dr. Rapp?«

Sogleich waren alle still, und ihr Vorgesetzter warf den Stempel in die Schale. Dann lehnte er sich auf seinem Stuhl zurück, verschränkte die Finger über dem Koppelschloss und blickte so lange auf Fietes Hand, bis der sie fortzog. »Noch?«, fragte er und runzelte die Brauen. »Was meinen Sie denn mit noch, Anwärter Caroli? Wie soll ich das verstehen?« Er lächelte vage, fast sah es wehmütig aus; im Ofen knackten Fichtenscheite. »Soll ich das überhaupt verstehen?«

Mit einer Kopfbewegung winkte er ihn fort, und nachdem alle Männer tätowiert waren, ging er zum Ausguss in der Ecke, spülte die Stempel und Schalen ab und räumte sie in die Tasche zurück. Schließlich schnippte er mit den Fingern. »Also, Anwärter, hergehört!« Er wartete einen Moment, bis alle Haltung angenommen hatten, und sah an den Rekruten vorbei in die Grube. Müde hingen seine Lider über den Pupillen. »Natürlich werdet ihr nicht mehr eingesetzt«, sagte er in fast väterlichem Ton, und hier und da wurde ein Aufatmen laut. Fiete zwinkerte Walter zu.

»Kann man blöder fragen? Ihr seid doch bereits im Einsatz«, fuhr er fort. »Die Grundausbildung ist hiermit beendet, und auch wenn ihr statt der üblichen drei Monate nur drei Wochen in der Kaserne wart: Ihr dürft euch nun Staffelmänner der Waffen-SS nennen. Eure Kompanie mit allen Scharführern wird den Truppen vor Budapest zugeführt; um einundzwanzig Uhr stehen die Transporter auf dem Hof. Die Betten sind abzuziehen, die Schränke auszuräumen. Ich will hier keinen Zahnstocher mehr sehen! Sieg heil!«

Er griff nach der Tasche, drehte sich um, und als die Tür ins Schloss gefallen war, sanken viele auf ihre Betten und stießen leise Flüche aus. Mit dem Handrücken fegte Fiete ein paar Schachfiguren vom Brett, steckte sich eine Zigarette an und stellte sich zu Walter ans Fenster. Der aß ein Stück von dem Früchtebrot, ließ es langsam auf der Zunge zergehen.

Der Regen prasselte gegen das Glas, das gerissen war, eine silberne Linie. Die Säcke lagen jetzt im Tümpel. In den Unterkünften am Grubenrand – man konnte nur die Firste sehen, ein paar Schornsteine ohne Rauch – erklang ein Horn, das Zeichen zum Abendappell, und langsam schoben die Frauen, denen die Kleider am Rücken klebten, die Lore den steilen Hang hinauf. Der Hund beschnüffelte ihre Beine.

Die Pfützen zitterten, die langen, aus den verschiedenen Erdschichten herabhängenden Wurzeln von Sträuchern und Bäumen schwankten im Wind, und Walter wischte über die Scheibe, kniff die Lider zusammen. Einen Herzschlag lang konnte man noch an eine Täuschung glauben in der gestrichelten Sicht, ungläubig stieß er Fiete an. Doch es bewegte sich etwas in dem Tümpel, es zuckte unter der schlammfarbenen Jute; ein Knie zeichnete sich ab, ein Ellbogen vielleicht, die Andeutung eines schmalen Gesichts. Und war kurz darauf schon wieder versunken.

»Liebe Elisabeth, wir müssen nun doch ausrücken, und ich schreibe Dir schnell, denn es ist vorerst die letzte Gelegenheit. Die Zeit hier war eine Schinderei, aber ich habe wenigstens den Führerschein gemacht, für alle Klassen, der auch im Zivilleben gilt. Du kannst Dir also aussuchen, womit ich Dich bald durch die Gegend kutschiere. Vielleicht in einem Panzerspähwagen? Deine Karte habe ich bekommen, Du bist ganz schön faul. Sogar meine Schwester schickt mir mehr Post, und die hat Tuberkulose. Was soll das heißen: ›Eins, zwei, drei‹? Ich kann's mir denken, aber schöner wäre es, wenn du es ausschreiben würdest, in einem Brief. Vom alten Thamling höre ich, daß Ihr jetzt an die Kühe müßt, und das geschieht Euch recht. Da könnt Ihr mal sehen, wie schwer wir arbeiten. Fiete läßt Dich grüßen, er hatte natürlich gleich einen dreckigen Witz auf Lager, von wegen Melkschemel und so. Jetzt packen wir unseren Kram, es geht Richtung Ungarn, und wenn wir eine Feldpostnummer haben, schicke ich sie Dir, damit Du mir schreiben kannst. Oder Du wendest Dich an die Zentralvergabe in Erfurt und setzt ›in Marsch‹ unter meinen Namen, das kommt auch an. Es sei denn, ich bin ›im Arsch‹. Aber das wird nicht passieren, denn ich hab noch so eine Erinnerung, und die beschützt mich. Eins, zwei, drei.«

In der Nacht waren sie ohne Beschuss bis kurz vor Ingolstadt gekommen, wo die vierzig Männer des Zuges in einem Werkstattdepot einquartiert wurden, einer

Scheune am Waldrand. Eisig war es gewesen auf der Ladefläche des Transporters, und alle drängten sich um die Glut in der Esse und wurden immerzu angeraunzt, weil sie im Weg standen. Eine Sanitätseinheit war am Vorabend zu früh aufgebrochen und ins Visier amerikanischer Jagdbomber geraten. Die Überlebenden, von denen einige Verbände trugen, reparierten zusammen mit den Männern vom Instandhaltungstrupp ihren Wagen, einen übel zerschossenen Opel Blitz mit Kastenaufbau, und in dem Sägen, Hämmern und Schweißen war an Schlaf nicht zu denken.

Man hockte auf Strohballen herum und rauchte, und als Freiwillige zum Essenholen im Dorf gebraucht wurden, rissen fast alle die Hände hoch. Zwei emaillierte Kübel mussten von je zwei Soldaten mithilfe einer Schulterstange getragen werden, und Egon Vatteroth, ihr Scharführer, schob sich die Mütze aus der Stirn und suchte den dünn bewölkten Himmel ab, ehe er sie durch das Tor auf den Feldweg winkte. »Haltet die Augen offen!«, rief er ihnen nach. »Ich will hier keinen Eintopf mit Menschenfleisch. Die Amis haben einwandfreie Zielgeräte, die schießen euch die Kippen aus dem Mund.«

Er hatte Ole und Harry Laatz, Zwillinge aus der Nähe von Plön, sowie Walter und den dürren Paul Jeppsen ausgewählt, und rasch gingen die Männer den Weg hinunter, eine Fahrspur zwischen gelbem Gras, das ihnen die Mäntel nässte. Dabei hielten sie sich nah an den Kopfweiden am Graben, ihren besenartigen, hier und da schon blühenden Austrieben, und Paul, ein Bauernsohn aus dem Husumer Land, riss einen Zweig ab und sagte: »Schneiden sollte man die mal, diese Hexenreiser. Sonst werden das noch Trauerweiden.«

»Quatsch«, sagte Ole, der sich mit Walter eine Tragstange teilte. »Kannst ruhig den Bienen was gönnen! Nach der Kätzchenblüte ist früh genug.« Auch die Zwillinge, die sich kaum ähnelten, kamen vom Land, doch der sommersprossige Ole machte eine Maschinenbaulehre in Flensburg, wo man ihn vor drei Wochen vom Hof der Berufsschule geholt und direkt in die Kaserne gebracht hatte. »Früher hat unser Vater die oft im Winter gekappt, weil nichts anderes zu tun war. Und dann mussten wir diese beschissenen Zäune flechten, wie die Weiber. Stimmt's, mein Harry?«

»Och nö«, sagte der Bruder, »ich hab das gern gemacht. Jedenfalls wenn Hildchen dabei war.« Er sah Walter an. Ein wenig fülliger als sein Bruder, ging er auf die Landwirtschaftsschule in Kiel, wo Soldaten der Division Frundsberg das Gloria-Kino umstellt und jeden herauskommenden Mann zum Freiwilligen erklärt hatten. »Unsere Cousine, weißt du. So was Versautes hast du noch nicht erlebt. Die hat die Rinde von den glitschigen Weidenästen gezogen wie einen Präser und …« Er stöhnte auf. »Kann man keinem erzählen. Mit der hab ich diesen Film gesehen, ›Romanze in Dur‹, oder wie der hieß, letzte Reihe. Und rate mal, wo meine Hände waren?«

»Seid mal still!«, zischte Paul, und alle blieben stehen und blickten in die Wolken, die hier und da auseinandertrieben vor dem zartblauen Märzhimmel. Doch er presste nur einen Furz hervor, einen hohen Ton wie aus einer Spielzeugtrompete, und lachend gingen sie weiter. Der Weg stieß auf eine gepflasterte, zwischen Hopfenfeldern hinabführende Straße, und das Geräusch ihrer Absätze wurde lauter, als sie einen Bahndamm unterquerten. In der Senke hinter dem Tunnel lag das Dorf, vier oder fünf Gehöfte, ein Gasthaus und eine bunt bemalte Kirche. Die Mauer unter der zwiebelförmigen Turmkuppel war aufgestemmt, und man konnte in den Glockenstuhl blicken, auf das leere Joch. Ein Falke hockte zwischen den Sparren.

Zwei Motorräder der Wehrmacht standen vor dem Lokal, ungetarnt. Die schwere Tür knarrte in den Angeln, und als sie den Flur voller Schränke und Truhen betraten, umfing sie eine kühle, von einem Geruch nach Hefe und Kochobst durchzogene Stille. Die schwarzen Steinplatten auf dem Boden schimmerten im Licht der Kerze, die vor einem Kruzifix flackerte, ein Plakat an der Wand zeigte den schrägen Schatten eines Mannes mit Hut und hochgeschlagenem Kragen, und Ole rief: »Heil Hitler, liebe Leute! Ist jemand da? Wir sind die Suppen-Truppe.«

Irgendwo quiekten Schweine. Am Ende des Ganges wurde eine Tür aufgestoßen, und eine junge Frau in einer ärmellosen Kittelschürze trat aus dem Stall. »Ja Herrschaftszeiten, seid's schon da?« Sie hatte sich die Haare im Nacken zusammengebunden, und im ersten Moment sah es aus, als trüge sie rote Handschuhe. Auch an ihren Gummistiefeln war frisches Blut, und als sie die Blicke der Jungen auf ihre nackten Knie bemerkte, musste sie schmunzeln. »Mir san beim Schlachten«, sagte sie und wies mit dem Messer in die Küche, wo ein befeuerter Steinkessel stand.

»Helft euch halt selbst. Brotsäcke liegen in der Kammer.«

Die Stalltür schlug zu. Fettspritzer an der Küchenwand zerliefen in dem Sonnenfleck, der durch ein vergittertes Fenster fiel, und gerannen wieder im Schatten. »Na, Dunnerlüttchen«, sagte Ole und beugte sich über den Kessel. »Was für eine Suppe soll das sein? Sieht aus wie die Scheiße von morgen, oder?«

Die zerkochten Linsen, auf denen schwarze Zwiebelringe schwammen, rochen nach Essig, und hier und da waren Kartoffelscheiben, nirgendwo aber ein Stück Fleisch zu sehen. »Nein«, antwortete sein Bruder und leckte sich den Finger ab. »Das ist die von gestern.«

Paul zog ein paar Kellen aus dem Geschirrhaufen in der Spüle, und während seine Kameraden den lauwarmen Brei in die Kübel schöpften, öffnete Walter die Durchreiche und blickte in das Lokal. Auch hier war es trotz der hellen Mittagsstunde dämmrig; in den dicken Mauern wirkten die Fenster wie Scharten. Ein blonder Junge in Kniebundhosen, der auf einer Bank hockte und las, beantwortete sein »Hallo!« mit einem scheuen »Grüß Gott!«. Dabei ließ er die Füße in den Haferlschuhen pendeln und blickte kurz einmal in die Ofenecke, ein warnender Wink.

Walter beugte sich vor, und noch ehe er die Gesichter der beiden Männer ausmachen konnte im Zigarettenrauch, sah er den Glanz der Ringkragen auf ihrer Brust, wie poliertes Silber. Leere Bierkrüge standen vor ihnen, Teller mit Essensresten und ein Korb mit einem unberührten weißen Brot. Felduniformen trugen sie, zugeknöpft bis zum Hals, und waren den Kragenspiegeln nach Hauptscharführer. Der eine hatte schon graue Schläfen, und der andere, dem drei Finger an der rechten Hand fehlten, zog an seiner Kippe und sagte: »Na, was glotzen Sie wie ein Rind? Können Sie nicht grüßen? Raustreten alle!«

Walter schloss die Luke, knöpfte sich den Mantel zu und zischte: »Kettenhunde!« Paul spuckte auf den Boden. Alle richteten ihre Koppel und Schiffchen, und als sie durch die Pendeltür in die Gaststube traten, war der Junge verschwunden; das Buch, »Der letzte Mohikaner«, lag auf einem Fass. Sie salutierten vorschriftsmäßig und warteten in der Habtachtstellung. Die Feldpolizisten hatten sich inzwischen die Mützen mit den Aluminiumkordeln aufgesetzt, und der Versehrte trug weiße Handschuhe, die fehlenden Finger ausgestopft. Auf der Bank am Kopfende ihres Tisches, unter dem Bild einer Madonna mit brennendem Herzen, lehnten zwei Maschinenpistolen.

Fliegen summten in der Fensternische, und der Grauhaarige zog eine Brille aus der Tasche, zeigte damit auf Harry und sagte: »Soldbuch und Marschbefehl.« Die Streichholzschachtel neben seinem Teller war mit demselben Motiv bedruckt wie das Plakat im Flur; unter dem breiten Schatten eines Mannes stand in leuchtend gelber Schrift »Pst! Feind hört mit!«.

Harry zerrte seinen Brustbeutel hervor, trat an den Tisch und sagte: »Melde gehorsam, wir sind Essenholer.«

Der Offizier zog die Brauen zusammen. Ein dunkelgrüner, an den Kanten zerschrammter Holzkasten stand neben ihm auf der Bank, und er wies den Rekruten mit einer Kopfbewegung in die Reihe zurück und öffnete das Soldbuch, in dem es, von den Personalien abgesehen, keinerlei Einträge gab. Auf dem Foto hatte Harry Pomade im Haar und trug einen Zivilanzug mit Krawatte. Ein goldfarbenes Bonbonpapier von Storck rutschte zwischen den Seiten hervor. »Soll das heißen, Sie haben keinen Marschbefehl?«

»Wir sind nur Essenholer«, sagte nun auch Paul, und der andere hob das Kinn und schlug mit der flachen Hand auf den Tisch.

»Bin ich denn taub, Schütze? Sie reden, wenn Sie gefragt werden – hat man Ihnen das nicht beigebracht?« Er musterte die Jungen aus schmalen Augen. Neben den Bierkrügen standen kleinere Gläser mit aufgemalten Enzianblüten, ebenfalls leer, und während er sich mit dem Daumennagel durch die Zahnritzen fuhr, wies er mit dem kleinen Finger derselben Hand auf Ole. »Welche Kompanie?«

Der schluckte hart und sagte heiser: »Melde gehorsam, wir haben noch keine Zuordnung. Wir kommen aus der verkürzten Grundausbildung in Hamburg-Langenhorn, vierzig Staffelmänner, Scharführer Vatteroth.«

»Bewaffnung? Fahrzeuge?«

»Karabiner K 98, Stielhandgranaten und Faustfeuerwaffen. Zwei Vomag-Transporter.«

»Quartier und Marschrichtung?«

Walter, der neben ihm stand, drehte den Fuß auf dem Absatz und stieß ihn an, doch Ole streckte einen Arm aus, zeigte in die ungefähre Richtung. »Einen Kilometer nördlich von hier, im Werkstattdepot der Waffen-SS. Bei Dunkelheit fahren wir weiter bis Graz, genauer gesagt bis Abelsried, wo wir auf die Divisionen verteilt werden. Wir holen wirklich nur das Essen für unseren Zug.«

Der Offizier mit dem ausgestopften Handschuh, der sich Notizen gemacht hatte, steckte sein Buch weg und öffnete ein silbernes Etui. Zigaretten mit ovalem Querschnitt lagen darin. »Und das sollen wir glauben, ja? So blöd sehen wir aus?« Er klopfte das Mundstück auf dem Deckel fest. »Sie alle befinden sich ohne einen Vorgesetzten hinter der Hauptkampflinie, wo es weit und breit keine Truppenaufkommen gibt. Sie tragen weder Helme noch Rangabzeichen, noch haben Sie einen Passierschein oder einen Marschbefehl. Auch eine Krankmeldung liegt uns nicht vor, und warum Sie bei Ihrer angeblichen Reiserichtung in diesem Kaff gelandet sind, ist ebenfalls nicht ersichtlich.« In dem halbmondförmigen Schild, das ihm vor der Brust hing, spiegelte sich sein Zündholzflämmchen. »Wolltet ihr die Oma besuchen?«

Alle grinsten, niemand antwortete, und der Grauhaarige blickte auf die Uhr, einen schwarzen Chronometer für Piloten, und zog sich ebenfalls Handschuhe an. »Also gut, Kameraden«, sagte er, »wir werden eure Angaben überprüfen. Wehe euch, die waren nicht korrekt; vor uns kann sich niemand verstecken, auch nicht bei der Großmutter. Dann hängt ihr schneller am nächsten Baum, als ihr ›Fahnenflucht‹ sagen könnt. Und jetzt seht zu, dass ihr Land gewinnt!«

Die Jungen schlugen die Absätze zusammen, reckten die Arme vor und gingen wieder in die Küche, wo sie die restliche Suppe aus dem Kessel schöpften und sich die Säcke mit den Broten an die Gürtel banden. Ihre Last war schwer, Walter legte sich sein Schiffchen unter den Holm der Tragestange, die anderen taten es ihm nach, und schweigend verließen sie den Gasthof und überquerten die Straße, um im Schutz der Stallwände zu gehen. Keine Wolke mehr am Himmel, und vor der Kirche leuchteten erste Krokusse in der Sonne, weiß und violett.

»Mensch, das waren ja Kaliber«, sagte Ole, nachdem sie den Dorfrand hinter sich gelassen hatten. »Ganz aus Vorschriften geschnitzt. Die würde ich gern mal im Zivilleben treffen, nach einem Fässchen Bier. Warum hast du mich eigentlich angestoßen?«

Paul und Harry waren bereits im Tunnel; aufgeschreckte Fledermäuse schwirrten unter dem Bogen hervor, und Walter blickte sich aus den Augenwinkeln um. »Na, weil die Wahrheit nicht so klug war«, sagte er gedämpft. »Die Kerle trugen SS-Uniformen, fuhren aber Wehrmachts-Motorräder. Außerdem hatten sie ein Funktelefon und ausländische Zigaretten.«

Die Seilschlaufen knarzten, und der Kübel schlug ihm gegen die Waden, als Ole abrupt stehen blieb. »Wieso? Was soll das heißen? Glaubst du etwa, das waren Überläufer? Kameradenschweine, hier in Bayern?« Er rieb sich die Nase. »Ach Blödsinn, Mann. Kein Spion wagt sich so weit hinter die Linie. Kann alles Beutegut gewesen sein, von Gefangenen oder abgeschossenen Piloten.«

Walter schüttelte den Kopf. »Mein Arbeitskumpel, ein Melkermeister, voriges Jahr gefallen, der war bei dem Verein, freiwillig. Hatte sogar das Eiserne Kreuz. Jeder dieser Kettenhunde weiß genau, welche Soldaten sein Revier passieren, sonst wäre er ja kein Feldgendarm. Art der Bewaffnung, Mannschaftsstärke, Fahrzeugtypen, wo Rast gemacht wird und in welche Richtung es weitergeht – danach braucht so einer nicht zu fragen. Alles längst durchgefunkt, bevor du überhaupt aufgebrochen bist.«

Ole öffnete den Mund, sagte aber nichts. Irgendwo hinter den Häusern und Scheunen konnte man das Knattern von Motoren hören, und beide blickten sie ins Dorf zurück. Immer noch hockte der Falke im Glockenstuhl, putzte sich die Federn, doch der Platz vor dem Gasthaus war leer, sah man von der Frau in der Kittelschürze ab. Sie kraulte einem kleinen Hund das Fell und ließ sich von ihm die Hände lecken, und die Jungen traten aus der Unterführung auf die schmale, von den Schatten der Hopfenstangen gestreifte Straße und beeilten sich, die anderen einzuholen.

Harry, eine Zigarette zwischen den Lippen, drückte auf sein Feuerzeug. »Ich würd sie ja heiraten«, sagte er über die Schulter zu Paul. »Würd ich tun. Wir sind keine Verwandten ersten Grades, weißt du. Also, schiefe Kinder wird's nicht geben. Wir können auch gut schnacken, und sie hat mir schon in die Kaserne geschrieben wegen der Trauung. Doch jetzt, wo ich beim Himmler bin ... Die Frau von einem SS-Mann soll mindestens ein Meter sechzig groß sein, hat er gesagt. Da muss sie sich noch bisschen strecken, die Kleine, ist nur eins vierundfünfzig.« Er langte hinter sich, gab dem anderen die Zigarette. »Na ja, heirate ich halt eine Große und wir führen ein Doppelleben, wie in dem Film ›Romanze in Moll‹. Hast du den gesehen?«

Paul verneinte, machte einen tiefen Zug. Spinnfäden schwebten durch die Luft, die nach dem brackigen Grabenwasser stank, und vermutlich lag es an der Windrichtung, dass sie das Flugzeug nicht früher hörten. Es war ein einmotoriger Jagdbomber, silbergrau, und die Suppe schwappte unter den Deckeln hervor, als sie die Kübel abstellten und die Tragstangen fallen ließen, um sich an die Weiden zu drücken. Auf dem Rumpf waren Nummern und ein weißer Stern in einem schwarzen Kreis zu erkennen, und der Pilot in der verglasten Kanzel, der sie natürlich längst gesehen hatte, hob eine Hand.

Er schien tatsächlich zu grüßen, so dass sie einen Lidschlag lang glaubten, die beiden Bomben, ein Stück weit vor ihnen ausgeklinkt, hätten ein ganz anderes Ziel. Doch fielen sie nicht senkrecht. Schimmernd drehten sie sich in der Frühlingsbrise und stießen fast gegeneinander, ehe sie, den Bruchteil einer Sekunde nachdem die Jungen sich in die Gräben geworfen hatten, zu beiden Seiten der Straße detonierten. Was ihnen sofort das Gehör nahm. Walter jedenfalls, die Wange im fauligen Gras, sah nur Pauls offenen, von einem Schrei verzerrten Mund, ehe ihm der Schlamm über das Gesicht schwappte, aufspritzende Ackererde den Himmel verdunkelte und die hochgewirbelten Hopfenstangen wie ein Regen aus Speeren auf das Pflaster hagelten, lautlos.

Die Brote rutschten ihm in den Nacken. Irgendetwas hatte sein Bein gestreift. Am Grabenrand rauchte ein

Splitter, schwarzviolett, und als er sich aufrichtete, klappte der Schaft seines rechten Stiefels auseinander. Doch bis auf einen Kratzer war die Wade unversehrt, und auch die anderen hatten offenbar Glück gehabt. Zerdrückt wie Dosen lagen die Kübel auf dem Acker, und sie standen zwischen den Köpfen der Weiden, die der Luftdruck von den Stämmen gerissen hatte, und klopften sich Linsen und Dreck mit den Mützen vom Mantel. Alle waren fahl, atmeten mit offenem Mund, und Walter, einen Fuß noch im Graben, wischte ein Brot mit dem Ärmel ab. Gelb war es von den Abdrücken der Weidenkätzchen.

Die meisten von ihnen, in Decken und Zeltplanen gewickelt, schliefen noch, als die Transporter im Morgengrauen in die Kavernen bei Abelsried fuhren. Neben den natürlichen Hohlräumen mit Quellwasser auf dem Grund bestanden sie aus breiten, von Stahl- und Betonpfeilern gestützten, tief in den Berg getriebenen Stollen, elektrisch beleuchtet. Gebell hallte darin wider, und Pferde und Esel, zum Teil gesattelt oder bepackt, dösten längs der Wände aus grauweißem Kalkstein, wo auch Kanister und Munitionskisten, zusammengerollte Panzerketten und Säcke und Kartons voller Lebensmittel gestapelt waren. Wegweiser hingen unter den Gewölben, und zwischen den Last- und Personenautos, die auf markierten Flächen parkten, führten grob gezimmerte Treppen auf Emporen voller Etagenbetten.

Trotz der Frühe wurde überall gearbeitet. Aus den Höhlen war das Picken von Meißeln oder Spitzhacken und hinter Bretterwänden das Geklapper von Schreibmaschinen zu hören. Mechaniker reparierten einen Offizierswagen mit hellblauen Standarten und blutverschmierten Scheiben, Ärzte und Krankenschwestern versorgten Verletzte, die auf Stroh in einem Seitengang lagen, und gefangene Russen in staubigen Uniformen trugen Körbe voller Felsbrocken aus den Stollen und entleerten sie am Hang neben der Einfahrt, wo sich ein Wachmann eine Zigarette drehte.

Von hier aus konnte man über die waldigen Täler bis nach Graz blicken, ein paar Turmspitzen in rosigem Morgendunst, und nachdem sie sich an einem Trog gewaschen hatten – Terpentinseife hing an Drähten darüber –, führte Scharführer Vatteroth sie in den Speisesaal, eine große, von zwei oder drei Glühbirnen beleuchtete Kaverne.

Obwohl unzählige Soldaten und ein paar Zivilisten an den langen Tischen saßen, war wenig mehr zu hören als das Kratzen von Messern und Löffeln auf den Blechtellern und ein Murmeln hier und da. In der Höhle wurde auch gekocht, doch intensiver als nach Bratfett und Eichelkaffee roch es nach Schweiß, nach Eiter und Urin. Kaum jemand, der keinen Verband trug, und wenige Verbände, die man nicht hätte wechseln müssen. An den glimmerigen Felswänden lehnten Stöcke und Krücken.

Während sie sich vor die Ausgabe stellten, betrachteten die Jungen verstohlen die unrasierten und abgezehrten und nur scheinbar älteren Männer, die mit großen

Augen vor sich hin starrten, erschöpft und entgeistert zugleich. Viele kauten ihre Bissen mit verzerrten Mündern und entblößten Zähnen, als wollten sie vermeiden, dass das harte Brot ihre Gaumen oder das Zahnfleisch berührte. Keiner sprach oder nahm Notiz von den Neuankömmlingen in den sauberen Uniformen, oder nur insofern, als sie deren Blicke ausdrücklich ignorierten, wobei etwas Unwirsches in ihre Gesichter kam, ein Grimm, der mit Scham zu tun haben mochte. Nur einer, die Kehle gereckt, die Lider geschlossen, stöhnte kurz einmal auf und sank dann wieder stumm in sich zusammen.

Das Gewölbe hinter dem Tresen war schwarz vor Ruß. Der Küchenbulle, ein Amputierter, spielte mit einem Kätzchen, hielt ihm sein leeres Hosenbein hin und zog es weg, wenn das Tier danach krallte. Auf einem Hocker saß er und beaufsichtigte die Frauen an den Kochstellen, Fremdarbeiterinnen, wie es schien, denn wann immer sie sich etwas zuriefen, verstand Walter kein Wort. Blasen platzten in dem Haferbrei, der in einem Kessel dampfte, fette Würste brieten in einer großen Pfanne, Schinken hingen im Rauchabzug, goldfarbene Fische, doch all das war nicht für die gewöhnlichen Soldaten bestimmt. Kaffeeersatz wurde ihnen aus Eimern ins Geschirr geschöpft, und je zwei Männer mussten sich ein halbes Brot, eine Tube Käse und eine Scheibe Kunsthonig teilen.

»Womit der Endsieg gesichert wäre«, murmelte Fiete und folgte Walter durch einen schmalen Gang voller Kartoffelsäcke ins Freie.

Auf dem Plateau über dem Tal stand eine Haubitze,

mit Decken und Gestrüpp getarnt, und sie setzten sich auf die Munitionskisten und lockerten die Koppel. Die Sonne stieg, und der Frühdunst hatte sich verflüchtigt; nur noch ein paar Nebelfetzen hingen an den schwarz bewaldeten Hügeln, die hier und da von einer zartgrünen Laubkrone aufgehellt wurden. Auch zwischen den Bäumen Wachsoldaten, die Karabiner in den Ellenbeugen; Häftlinge in gestreiften Kleidern schabten Rinde von gefällten Tannen.

»Na, schau dir diese Landschaft an.« Fiete tunkte das Brot in den Muckefuck, zwinkerte ihm zu. »Sargholz bis zum Horizont.«

Seit sie nicht mehr jeden Morgen warme Kuhmilch aus dem Kübel trinken oder Rahm und Quark mit eingemachtem Obst essen konnten, war er hagerer geworden, blasser auch, und einige nannten ihn wegen seiner zarten Hände Klavierspieler. Doch die Schleiferei in der Grundausbildung hatte das Spöttische in seinem blauen Blick eher geschärft, und die Haare, wenn auch kurz geschnitten, standen immer noch in alle möglichen Richtungen ab. »Wer will dich eigentlich finden, wenn du in diesen Wäldern verschwindest? Bis es vorbei ist, meine ich.«

Eine Decke verrutschte, Wind pfiff in dem Kanonenrohr, das im oberen Drittel weiß war von den vielen Abschussmarkierungen. Die letzten Worte hatte er halb in sein Geschirr hineingesagt, mit einer müden Beiläufigkeit, und Walter blickte sich um; niemand hockte in ihrer Nähe. »Was soll das denn heißen?«, flüsterte er. »Willst du abhauen?«

Krähen, große Schwärme, flogen nach Osten, und der

andere brach sich ein Stück von dem Kunsthonig ab. »Wieso«, antwortete er, »du etwa nicht? Möchtest du lieber im Kampf verrecken kurz vor Feierabend, im Schlamm? Oder dich von den Russen einkassieren lassen und den Rest deines Lebens bei vierzig Grad Frost im Bergwerk verbringen?« Er schob sich die Süßigkeit in den Mund und zwinkerte ihm zu. »Ich hab der Ortrud Kinder versprochen, mein Freund. Mindestens drei …«

Walter schmunzelte. »Na, gratuliere. Die kannst du ihr aber nicht machen, wenn man dich vors Kriegsgericht stellt«, entgegnete er und drückte etwas Tubenkäse auf sein Brot. »Warte doch erst mal ab; du weißt überhaupt nicht, wo wir eingesetzt werden. Vielleicht brauchen sie uns hier, in der Etappe.«

Doch Fiete verdrehte die Augen. »O sancta simplicitas, wie mein Lateinlehrer sagen würde. Dafür haben sie genug Krüppel und Gefangene, Ata. Die karren uns nicht durch das ganze Reich, damit wir hinter der Front Kartoffeln schälen. Wir sind kräftiges Frischfleisch und werden an den Feind verfüttert, wenn wir nicht türmen – siehst du das nicht, oder willst du es nicht sehen?«

Walter biss in das graue Brot, wobei er unwillkürlich mit den Zähnen knirschte. »Dein hochnäsiges Latein schmier dir mal in die Haare«, sagte er kauend. »Es kann auch alles ganz anders kommen.«

»Ja, wie denn?«, beharrte der Freund und trank einen Schluck von dem Eichelkaffee. »Sollen die Russen uns Blinis backen? – Dieser Lehrer zum Beispiel, bei dem hatten wir auch Leibeserziehung, fünf Wochenstunden üble Schikane mit Geländerennen und Boxen, und weil er mich nicht mochte, kriegte ich zuverlässig immer Gegner, die mich blau und blutig schlugen. Da war mit Kraft nichts auszurichten, Ata, nur noch mit Schwäche: Ich hab auf den Sport gepfiffen und mir 'ne schöne Stunde im Hafen gegönnt, verstehst du?«

»Na prima. Und mit welchem Erfolg? Vom Gymnasium bist du geflogen.«

Fiete hatte sich eine Zigarette angesteckt und machte eine wegwerfende Handbewegung. »Und wenn schon, was hätte ich denn da noch gelernt? Germanische Helden-Scheiße. Es geht uns an den Kragen, ich sag's dir. Der Krieg ist verloren. Am besten, wir schlagen uns quer durch die Berge nach Bayern, da sollen bald die Amis sein. Bei denen wird die Haft nicht so arg werden ...«

Die Baumwipfel rauschten, und nachdenklich schüttelte Walter den Kopf. »Das kannst du nicht wissen«, murmelte er. »Auch die stellen Leute an die Wand.«

In dem Moment schrillte die Appellpfeife ihres Scharführers durch die Gänge, das vereinbarte Signal. Sie tranken den Kaffee aus, knöpften sich die Mäntel zu und liefen in den Teil der Höhle, in dem sie angekommen waren. Dort, wo nach wie vor die Schreibmaschinen klapperten, stand ein Lastwagen, ein zerbeulter Krupp, der soeben Verletzte gebracht hatte, an die zwanzig Mann. Oft halbnackt und nur notdürftig verbunden, lagen sie auf blutigen Bahren längs der Felswände. Manche waren bewusstlos, und das graue Gelb ihrer Gesichter sah schon wie ein Vordämmern des Schrecklichsten aus; andere stöhnten leise oder schüttelten unablässig den Kopf, wobei sie wortlos die Lippen bewegten.

Die Karabiner auf dem Rücken, Marschgepäck und Helme vor den Stiefelspitzen, nahmen die Soldaten Aufstellung hinter dem Wagen. Ein altes MG mit Tellermagazin war darauf montiert, und der Schütze in der verdreckten Uniform, dem eine Windbrille und ein Fernglas vor der Brust hingen, rauchte eine Zigarette und musterte sie müde. Staub sogar in seinen Brauen und den Stoppeln am Kinn, kaum auszumachen die Lippen, doch in den dunklen Augen, die sicher mehr gesehen hatten, als die jungen Männer sich vorstellen konnten, schien es einen Anflug von Mitleid zu geben. Er drehte den Kopf weg und atmete tief.

Der Scharführer winkte Walter, Harry und Jörn Asmussen aus der Reihe, gab ihnen ihre Stellungsbefehle. Da sie in der Grundausbildung den Führerschein gemacht hatten, sollten sie in der Versorgungseinheit aushelfen. Die anderen, die noch an ihren letzten Bissen kauten, mussten auf dem Laster Platz nehmen, und er selbst stieg nach vorn, zum Fahrer, ließ den Arm aus dem Seitenfenster hängen und schlug gegen das Blech.

Auspuffrauch füllte den Höhleneingang, und die eng auf Bänken, Kisten und Kanistern sitzenden Männer schwankten hin und her, als der Krupp anfuhr, ein seltsam unscharfes Bild, hatten doch die meisten ihre Kinnriemen noch nicht festgeschnallt, so dass die Helme wackelten und verrutschten. Einzig Fiete war barhaupt, und Walter hob eine Hand, was der aber nicht erwiderte, oder nur mit einem stillen Blick, einem ernsten Lächeln. Er bog den Kopf in den Nacken und suchte, wie der MG-Schütze auch, den blauen Himmel nach Jagdbombern ab.

Die Fahrabteilung der Nachschubkolonne in der Nähe von Pécs, zu Deutsch Fünfkirchen, befand sich kurz vor der Auflösung. Das sechzig Kilometer entfernte Mohács wurde bereits von Titos Leuten kontrolliert. An den Straßen und vor Gebirgspässen standen große Schilder mit der Aufschrift: »Vorsicht, Partisanen! Waffen immer bereithalten!« In geländegängigen Drei- oder Sechstonnern brachte man Proviant und Munition an die Kampflinie nahe der Donau und holte Verwundete ab. Wenn die Wagen ohne schwerere Treffer auf den ehemaligen Gutshof zurückgekehrt waren und es nichts zu reparieren gab, halfen die Männer den Ärzten und Sanitätern in den Krankensälen oder fällten Birken und zimmerten Kreuze auf Vorrat.
Der Horch, ein ehemals eleganter, inzwischen verbeulter Offizierswagen mit Allradantrieb, war mit Netzen bespannt, in denen Kiefernzweige steckten. Es hatte aufgehört zu regnen, die Wolken trieben nordwärts weiter, Sonne blitzte in den Pfützen, und Walter knöpfte das Lederverdeck vom Rahmen und schob es hinter die Rückbank, um einen freieren Blick zu haben. »So sind die Deutschen«, sagte August Klander, ein rothaariger Hesse, der gerade aus der Kommandantur kam und sich rasch einmal umdrehte; nirgendwo ein Offizier. »Zu Hause liegt kein Stein mehr auf dem anderen,

die Front kracht zusammen, der Iwan steht vor der Tür, aber die Feldpost ist immer noch pünktlich.«

Rauchend humpelte er um den Wagen herum und hielt ihm einen Brief hin, vor drei Tagen gestempelt. Trotz der zerlaufenen Tinte erkannte Walter die Schrift seiner Schwester, ihre kleinen runden Buchstaben. Im Winter zwölf geworden, machte sie neuerdings Kringel statt Punkte. Das Kuvert war geöffnet, wieder zugeklebt und mit einer Marke der Postprüfstelle versehen worden, vermutlich, weil etwas zwischen den Seiten lag: ein Foto mit Büttenrand, das Leni mit kürzeren Haaren zeigte, sowie eine fingerlange schwarze Feder, leuchtend blau gefleckt.

Der Briefbogen duftete nach Parfüm. »Liebes Walterchen«, schrieb sie, »wie gefällt Dir meine neue Frisur? Maschka hat sie mir gemacht, eine Polin aus dem Bunker. Manchmal hilft sie bei uns aus. Erst waren die Fusseln länger, aber wir haben die Lockenschere zu heiß werden lassen, und so mußten noch ein paar Zentimeter dran glauben. Ich hoffe, Du bist gesund. Mir geht es ganz gut, ich huste kaum. Wir haben keine Schule mehr, das ist zu gefährlich, und ich langweile mich zu Hause. Doch man sollte sich nicht so weit von der Kellertür entfernen. Herbert, Mamas neuer Geliebter, riecht immer nach Kalk und Lysol. Er ist weit und breit der dickste Mann und kann seine Pfoten nicht bei sich behalten, wie Papa. Aber wir haben ein Dach über dem Kopf und zu essen, und seit die Polinnen im Sarglager schlafen, läßt er mich in Ruhe.

Neulich war ich in unserer alten Straße, oder was davon übrig ist. Ich bin zwischen den Steinhaufen herumgeklettert und hab geflennt. Der Blockwart wollte mich verscheuchen, der dachte, ich plündere. Er hatte sogar eine Waffe, aber ich hab ihn angeschrien. Diese Feder schicke ich Dir. Von einem Eichelhäher stammt sie, und der kleine Micky Berg sagt, sie ist ein Symbol für Weisheit und Mut.

Was den Papa betrifft, wissen wir immer noch nicht genau, wo er ist und wie es ihm geht. Strafversetzte dürfen nicht schreiben, hört man. Aber von Onkel Oswald, der nach der Verwundung bei der Heereskleiderkasse in Meißen arbeitet, kam neulich eine Karte. Er hat Nachforschungen angestellt und glaubt, daß sein Bruder irgendwo bei Stuhlweißenburg am Balaton eingesetzt wurde. Das müßte in Deiner Nähe sein, oder? Er läßt Dich jedenfalls grüßen – unser Onkel, meine ich. Alles ist gut verheilt, und er schreibt mit links fast so schön wie früher mit rechts, nur etwas größer.

Jetzt flackert die Lampe, und ich weiß nicht mehr, was ich Dir noch mitteilen soll. Hoffentlich müssen wir diese Nacht nicht wieder in den Keller. Beim Volkssturm nehmen sie vorerst keine Mädchen, was ich schade finde. Herbert sagte gerade, ich bin undankbar und frech wie Dreck. Das hat mir gefallen. – Also, bis bald! Vergiß nicht, ab und zu die Feder zu streicheln. Viele Grüße, auch von der Mama, Deine Helene.«

Er startete den Wagen. August setzte sich den Helm auf, schob ein paar Stielhandgranaten ins Kartenfach und drückte ein Magazin in seine MP. »Hoffentlich ist die Scheißstraße frei«, sagte er und sank auf den Beifahrersitz. Er war vor einer Woche in einen Hinterhalt geraten, bei dem die gesamte Versorgungskolonne massakriert wurde; nur er, von einem Geschoss an der Hüfte gestreift, hatte sich aus seinem brennenden Borgward in die Nacht retten können. »Was Neues von zu Hause?«

Langsam fuhr Walter um die stählernen Panzersperren herum und wich, so gut es ging, den Pfützen aus. Sie hatten den Auftrag, drei Fallschirmjäger aus der Mühle in Brevda abzuholen, einem Dorf am Gebirgsrand, bis vor kurzem noch Munitionsdepot. »Nicht direkt«, sagte er. »Mein Vater war Wachmann in Dachau und ist verdonnert worden, Frontbewährung. Und jetzt höre ich, dass er vielleicht in der Nähe eingesetzt wurde, bei Stuhlweißenburg. Kennst du das? Warst du schon mal da?«

Auch in dem Fichtenwald, den sie durchfuhren, standen Lazarettzelte, man hörte das Stöhnen und Schreien hinter den Planen, und August schüttelte den Kopf. »Nee«, sagte er, »muss man auch nicht kennen, glaube ich. Seit Januar kocht da die Erde. – Was hat dein Alter denn verbockt?«

Walter zog die Mundwinkel herab. »Angeblich nur Zigaretten verschenkt, an Häftlinge im Lager. Was ihm nicht gerade ähnlich sieht. Er ist immer ein geiziger und brutaler Knochen gewesen. Früher, als er arbeitslos war und den Korn wie Wasser gekippt hat, kam er oft mitten in der Nacht an mein Bett und sagte: ›Warum schläfst du nicht?‹ Dabei hatte ich geschlafen. Doch er war besoffen und wollte prügeln. Er setzte sich auf einen Stuhl und knurrte: ›Wenn du nicht sofort schläfst, kriegst du Dresche.‹ Ich konnte seinen Atem riechen und betete zu allen Heiligen.«

Am Waldrand stoppte er den Wagen, zog den Feld-
stecher unter den Armaturen hervor und suchte den
Horizont ab. »Doch irgendwann hab ich wohl vor
Angst gezittert, war ja noch ein Kind, und er riss mir
die Decke weg und schrie: ›Du hast dich bewegt! Jetzt
sollst du mich kennenlernen!‹ Und dann gab's Saures.
Mein lieber Herr Gesangsverein. Mit dem Handfeger
oder dem Feuerhaken, bis die Haut riss. Dabei wurde
er immer wilder, je lauter ich schrie.«
»Und deine Mutter?«, fragte August. »Oder deine
Schwester? Haben die nichts gesagt?«
Walter verstaute das Fernglas und lenkte den Wagen
aus der Deckung. Halbkettenfahrzeuge standen längs
der Straße, zerschossen oder ausgebrannt; auf einigen
Schutzblechen war noch das weiße »K« zu erkennen,
das taktische Zeichen der Panzergruppe Kleist. »Meine Mutter hatte selbst Angst, obwohl sie größer ist als
er und doppelt so dick. Verkroch sich unter ihrem Fe-
derbett, nehme ich an. Jedenfalls schlief sie mit Wachs
in den Ohren. Und meine Schwester lag meistens im
Spital.«
Wasser rieselte von den Felswänden, dünne Strahlen,
die an Vorsprüngen zerstoben, und August blies die
Backen auf. »Puh«, sagte er, »du hast ja 'ne gemütli-
che Familie!« Seine Eltern waren Lehrer in Paderborn,
und er wollte nach dem Krieg Geologie studieren; in
seiner Gasmaskendose rappelte immer etwas Glimmer
oder Diorit. »Trotzdem, irgendeine gute Strähne muss
dein Alter doch gehabt haben, oder? Als Wachmann
im Lager Zigaretten verschenken ... Ist ja fast 'ne Hel-
dentat.«

Walter bog auf die Straße nach Brevda. Man konnte das Schild, das vor Partisanen warnte, vor lauter Einschüssen kaum noch lesen. »Ich weiß nicht«, antwortete er. »Da war oft was Dunkles in den Augen, irre fast. Er hat auch gerne Tauben massakriert auf seine spezielle Art. Umschloss sie zärtlich mit einer Hand und drückte ihnen mit der anderen, mit der Daumenspitze, eine Stecknadel ins Herz. Und dann ließ er sie auf dem Dachboden herumflattern, bis sie tot waren.« Der Weg wurde steil, und er schaltete einen Gang zurück. »Was ziemlich lange dauern konnte.«

Nach einer Dreiviertelstunde Fahrt kam die Mühle in Sicht. Ihre Turmspitze war weggeschossen, von den Flügeln aus Segeltuch hingen nur noch Fetzen an den Stangen, und er stoppte den Wagen an einem Flurkreuz und blickte durch das Glas. Nirgendwo ein Mensch, ein Hund oder eine der mageren Ziegen, die hier vor Wochen herumgeklettert waren, um welke Disteln von den Felsen zu knabbern. Zerstört das Tor, die Ställe nur noch ein Haufen Schutt, und auch von den alten Olivenbäumen längs der Mauer waren viele verkohlt oder zersplittert. August entsicherte seine Maschinenpistole.

Ein Soldat in einem Schutzanzug über der Uniform kam hinter dem Haus hervor und winkte. Er trug eine Feldkappe der SS und ein buntes Halstuch, und Walter, ausatmend, fuhr die Straße hinauf und bog auf den Hof. Die drei Fallschirmjäger, allesamt älter als sie,

Ende zwanzig oder Anfang dreißig, saßen an einem Tisch vor der Scheune und löffelten Eingekochtes aus großen Gläsern. »Verdammt, wieso kommt ihr erst jetzt?«, fragte der Vorgesetzte, ein Rottenführer, und seine Stimme klang, als wäre er verschnupft. »Wir sitzen uns hier einen Wolf!«

Seit Tagen nicht rasiert, hatte er hagere Wangen und eine Nase aus fleischfarbenem Bakelit. Eine Schnapsflasche, zur Hälfte mit Pflaumenkernen gefüllt, funkelte in der Sonne, und Walter wendete vor dem kuppelförmigen Backofen und sagte: »Heil Hitler! Tut mir leid. Man hat uns erst vor einer Stunde geschickt.«

Im Rückspiegel sah er die Bewohner des Hofes; sie standen in der offenen Scheune, und er stieg aus, salutierte und hielt dem Mann den Befehl hin. Doch der beachtete ihn nicht; er aß ein Stück Käse vom Messerblatt, musterte den rothaarigen August, der grußlos zum Brunnen gehumpelt war, um seine Flasche zu füllen, und sagte: »Schade, dass der kein Mädchen ist, oder?« Er fuhr sich mit der Zunge über die Zähne. »Wie heißt es so schön: Rostiges Dach, feuchter Keller.«

Die anderen, Sturmmänner beide, lachten, und Walter legte den Zettel auf den Tisch und drehte sich um. Gestreift von dem Licht, das durch die Bretterfugen fiel, standen der greise Müller, seine blinde Frau und der buckelige Ziegenhirte in der Mitte der Scheune auf den blauen Hockern, auf denen sie gewöhnlich vorm Brotfeuer saßen, ein Glas Tee in der Hand. Die Gesichter grau, die Lippen rissig, hielten sie die Augen geschlossen und schienen ihn auch nicht zu bemerken, als er sich direkt vor sie stellte.

Das schwarze Kopftuch der Frau, die zitternd die Zehen in den Strohsitz krallte, hatte Salzränder, die Hosen der Männer waren nass im Schritt. Die Drähte, mit
denen man ihnen die Hände auf den Rücken gebunden
hatte, schnitten tief in die geschwollene Haut, kaum
dass man sie noch sah. Manche Fingernägel waren aus
den violetten Betten geplatzt, und auch die Schlingen
um ihre Hälse saßen sehr fest, ließen sie aber atmen.
Die Stricke hingen an einem Balken unter dem Kornboden, der leer war um diese Jahreszeit, ein hoher
Raum, widerhallend vom Gurren der Tauben.
Der Buckelige, das Kinn nah am Hals, schnaufte laut,
als schliefe er im Stehen, und sah im Übrigen völlig
ergeben aus. Auch der Müller, der noch seine Holz-
schuhe trug, schien längst nicht mehr bei Sinnen zu
sein; eine Fliege lief über das reglose Gesicht. Doch
als das Zittern seiner Frau plötzlich so stark wurde,
dass ein Bein des wackeligen Hockers auf den Estrich
klopfte, öffnete er den zahnlosen Mund und ließ ein
mahnendes, mehr gestöhntes als gesprochenes »Zsuzsa!« hören, woraufhin sie zwar nicht antwortete; es
gab ihr aber noch einmal Kraft. Getrocknete Tränenspuren auf den Wangen, hob sie den Kopf und atmete
röchelnd.
Draußen klatschte jemand in die Hände. Walter blickte
sich um, und nun erkannte er auch das Tuch am Hals
des einen Fallschirmjägers wieder. Es war aus gelber,
mit blauen Blüten bedruckter Seide und gehörte der
Tochter des Ehepaars, einer dreißigjährigen Witwe, die
jeden Morgen einen Käfig voller Singvögel neben das
Tor gehängt hatte. Mit kleinen Schindeln aus Perlmutt

gedeckt, lag er leer und zerdrückt zwischen den Trümmern. »Also …«, sagte der Rottenführer und stand auf. »Genug gefressen? Alle fertig? Dann los!«

Er schob sich den Löffel in den Stiefel und faltete eine Landkarte zusammen. Wie bei den Fallschirmjägern üblich, trug auch er einen Schutzanzug mit kurzen Hosenbeinen und großen Taschen über der Uniform, den so genannten Knochensack, und August verschloss seine Feldflasche und fragte: »Was ist mit den Leuten?«

Der Mann drehte sich um. Der rechte Ärmel war braun von getrocknetem Blut. »Welchen Leuten?« Stirnrunzelnd blickte er Walter an. »Wen meint er?« Und als der mit dem Daumen hinter sich zeigte, spuckte er aus und sagte: »Ach, die … Keine Ahnung. Die stehen schon die ganze Nacht da. Warten wohl auf jemanden.«

Im Backofen hallte Gelächter wider. Einer der Sturmmänner, ein Glatzkopf, brachte seine Stofftasche zum Wagen; graue Schirmseide quoll daraus hervor. »Die essen nichts, trinken nichts, werden einfach nicht müde«, sagte er und öffnete den Kofferraum. »Also, ich wäre schon längst vom Hocker gekippt.«

Der andere verstaute ihre napfartigen Helme und die Knieschoner und legte die Waffen, drei MP 28 mit seitlich abstehenden Magazinen, auf die Rückbank des Horch. »Das sind Spione«, sagte er. »Die haben keine Würde im Leib, guck sie dir an. Scheißen und pissen, wo sie stehen. Kannst sie abknallen, wenn du willst!«

Er hielt ihm eine Pistole hin, doch Walter wendete sich wieder dem Vorgesetzten zu. »Melde gehorsam: Das sind keine Feinde«, sagte er. »Ich kenne sie, Rottenführer, wir waren neulich hier einquartiert. Das ist der Müller und seine blinde Frau. Ihre Tochter, Boglárka, war mit einem Volksdeutschen verheiratet, einem Donauschwaben, vor Budapest gefallen. Sie hat unseren ganzen Zug bekocht. Und der andere hütet die Ziegen.«

Der Mann, einen Strohhalm zwischen den Lippen, hob das Kinn und verengte die Augen. »Wie bitte? Will mir jetzt ein Fahrer meinen Auftrag erklären? Wo sind denn hier Ziegen? Siehst du irgendwo Ziegen?« Er wies auf das Haus mit den eingeschlagenen Fenstern. »Ich kann dir ja mal zeigen, was die im Keller haben, Bübchen. Wenn das ein Müller ist, bin ich ein totes Brot.«

Dann schob er die Karte in die Ledertasche, die ihm vor der Brust hing, und blickte sich nach seinen Männern um. »Also los, verdammt, wir müssen weiter. Holt den restlichen Schnaps aus der Küche und lasst die Vögel fliegen!«

Wind kehrte die silbernen Blattseiten der Bäume hervor, und wieder war ein leises »Zsuzsa!« zu hören. Der kahle Soldat steckte sich eine Zigarette an. »Wie alt bist du?«, fragte er Walter und legte ihm eine Hand auf die Schulter. »Siebzehn? Achtzehn? Frisch aus der Schule, oder? Noch keine Schramme. Hast du schon mal jemanden abgemurkst?« Er verneinte, und der andere runzelte die Stirn. »Wirklich nicht? Menschenskind, was bringt man euch bloß bei ... Kuchen backen? Na komm, ich zeig's dir.«

Er zog seinen Stuhl in die Scheune, stellte ihn hinter den Buckligen und stieg hinauf. Als er den Strick lockerte, bewegte Fredo, so hieß der Hirte, die gesprungenen Lippen, ohne etwas hervorzubringen; auf seinen halb geöffneten Augen hatte sich ein weißlicher Belag gebildet. »Bei diesem Pack musst du zusehen, dass der Knoten vorn ist«, sagte der Jäger und drehte die Schlinge. »Hängt er hinten, bricht nur das Genick, eine Sache von zwei Sekunden. Aber hier, unterm Kinn, hat der Sauhund mehr davon. Da ist er noch eine Weile bei sich und wird schön langsam verröcheln.« Er griente ihn an. »Das bist du seinen Opfern einfach schuldig.«

Vom Stuhl steigend, machte er eine auffordernde Kopfbewegung, doch Walter blieb im Scheunentor stehen, verschränkte die Arme vor der Brust. »Herrgott, welchen Opfern denn! Das sind keine Partisanen!«, wiederholte er und schluckte; seine Kehle war trocken, die Stimme fahl. »Es sind gewöhnliche Zivilisten, nette Leute, wir durften in ihrer Wohnstube schlafen. Und sie haben unsere Verletzten gepflegt und die Transporttiere gefüttert! Die kann man doch nicht einfach liquidieren!«

Da rempelte ihn der andere, der mit dem Halstuch, zur Seite und sagte: »Quatsch hier keine Arien, Mann! Fehlt bloß noch, dass du heulst. Partisanen, Juden, Huren, wen schert's? Schon mal was von Standrecht gehört? Und los jetzt, jeder einen ...«

Der Hocker, der wackeligste der drei, zerbrach in Stücke, als er ihn unter dem Müller wegtrat, und eine Sekunde lang sah es aus, als würde der Mann, dem ein erschrockener Laut entfuhr, vornüber auf den Estrich fallen; die weißen Haare schwebten auf. Doch dann griff das Seil und riss ihn in die Senkrechte mit einer Gewalt, die in keinem Verhältnis zu dem zarten Greis zu stehen schien – als zöge eine unsichtbare, hoch über dem Kornboden zu vermutende Kraft den Strick empor mit einem Ruck. Erst als der Körper ausgependelt hatte und sich noch einmal um die Längsachse drehte, rutschten ihm die Schuhe von den Füßen.

Hell klang das Holz auf dem Zement, und auch der Knecht, die Lider fest zusammengekniffen, baumelte bereits. Aus seinem dicken Hals kam ein Gurgeln und Ächzen, die nackten Füße liefen durch die Luft, und der Sturmmann mit der Glatze, den Hocker noch in der Faust, sah ihm eine Weile interessiert in das verzerrte Gesicht, das weniger an einen Erhängten als an ein quengelndes Kind denken ließ, trotz der Stoppeln. Er schnalzte missbilligend und sagte: »Nicht so gierig, Mann! Lass los. Alles loslassen …«

Doch Fredo wollte nicht sterben, und es waren wohl seine Verwachsungen, die verhärteten Wirbel, die verhinderten, dass die Schlinge sich vollends schloss. Zuckend knirschte er mit den Zähnen und suchte nach einem Halt für seine immer schneller laufenden Füße, Speichelblasen platzten vor der Nase, und der andere warf den Hocker aus dem Raum und trat vor sein Opfer. »So ein sturer Hund«, murmelte er. »Hat nichts begriffen vom Leben, oder? Irgendwann ist es halt vorbei, da kann man noch so viel Theater machen. Gehen müssen wir alle.«

Die Zigarette im Mundwinkel, streifte er sich Handschuhe über und wartete noch ein paar Herzschläge lang. Asche fiel von der Glut, und dann schien es so, als würde der breitschultrige Soldat den Hirten umarmen – was er letztlich tat: Ohne auf die durchnässten

Hosen zu achten, umschlang er seine Hüften, um ihm mit zwei, drei kräftigen Bewegungen, einem Abwärtsreißen, bei dem der Balken knackte, das Genick zu brechen.

Die Tauben waren verstummt. Hellgraue und weiße Federn schwebten vom Speicher herab und wirbelten wieder auf in der Zugluft, und die Männer blickten sich nach Walter um. »Das war's schon«, sagte der Glatzkopf, die Fäuste an den Hüften. »Keine große Sache, oder? Sollte man mal gemacht haben. Komm her, die Frau ist für dich.«

Auch Fredo hing nun regungslos, etwas dunkles Blut im Mundwinkel, und obwohl die Sturmmänner ranghöher waren als er, tippte Walter sich an die Stirn – eine rasche, unwillkürliche Bewegung. Dabei zitterte seine Hand, und er drehte sich um und ging zum Wagen. »Oho!«, rief der mit dem Seidentuch. »Da haben wir ja einen ganz frommen Vertreter. Mag sich nicht die Seele beschmutzen. Kann man bei dir auch beichten? – Aber gut, wie du willst, bleibt die Alte eben da stehen. Fressen sie die Ratten.«

In den Bergen waren Detonationen zu hören, der Widerhall von Kämpfen im Tal. Nachdem alle Fallschirme, Flaschen und Munitionstaschen im Kofferraum verstaut worden waren und die Männer neben ihrem Vorgesetzten auf der Rückbank Platz genommen hatten, drehte Walter den Zündschlüssel um und blickte in den Spiegel. Aus dem Wohnhaus stieg Rauch, und der Rottenführer polierte den Schaft seiner MP mit dem Ärmel und blies den Staub aus dem gelochten Laufmantel, was ein flötenartiges Geräusch ergab.

Sie hatten die Blinde tatsächlich stehen lassen zwischen den Erhängten, denen Blut aus den Augen lief und Kot und Urin von den Füßen tropfte. Schatten auf den eingesunkenen Lidern, das graue Gesicht von Falten zerfurcht, legte die Frau den Kopf schräg und bewegte den lippenlosen Mund – oder war das ihr Zittern? Die Beine des Hockers wackelten. Doch dann hörte er sie leise rufen, immer wieder, was eigentlich nicht dringlich oder panisch klang, sondern so, wie sie es wohl lebenslang getan hatte – als wäre ihr Mann nur im Nebenzimmer: »Kristóf?«

Überraschend hell die Stimme, mädchenhaft fast, und Walter schob einen Gang ein und fuhr auf die Straße. Die Blattfedern des schweren Wagens ächzten. »Haben doch andauernd Glück, die Weiber«, sagte der Vorgesetzte. »Wahrscheinlich lauern ihre Partisanenfreunde irgendwo in den Büschen und holen sie gleich da runter, damit sie Goulaschsuppe kocht ...« Er beugte sich vor und tippte auf das Dreieck an Walters Ärmel, die Waffenfarbe. »Hör mal, du edler Samariter, was ich immer schon mal wissen wollte: Wieso schlunzen so frische und kräftige Kerle wie ihr eigentlich bei den Hellblauen rum? Warum bringt ihr Brötchen an die Front und kämpft nicht in der Truppe?«

Walter hob die Schultern, sagte aber nichts. Er fuhr durch eine Pfütze, die Achse krachte, Wasser rauschte vor dem Flurkreuz auf. »Na, weil wir den Führerschein haben«, antwortete August an seiner Stelle und suchte den Himmel mit dem Feldstecher ab. »Auch im Krieg gilt rechts vor links, Rottenführer.«

Da lachte der Mann, ein bellender Laut, und patschte

ihm die flache Hand auf den Helm. »Nicht schlecht, mein Kleiner ... Du bist ein Oberschlauer, was? Student oder so, hab ich gleich gesehen. Aber auch dir wird man noch den Arsch aufreißen. – Wie seid ihr denn so eingerichtet auf dem Gut?«

August blickte rasch zu Walter hinüber, und der schaltete in den nächsten Gang und sagte: »Versorgungslage A, Lazarettbetrieb. Es gibt Betten für die höheren Dienstgrade. Das war mal ein Kommandoposten von General Balck; in der ehemaligen Bibliothek im Herrenhaus befindet sich ein Kasino für Offiziere, mit Samowar und Lesesesseln. Und Billard spielen können Sie auch.«

»Sakra!«, rief der andere und nahm sich die künstliche Nase ab, schlackerte sie im Fahrtwind aus. Silberklammern ragten aus dem Knochenloch. »Habt ihr das gehört? So also lebt die Versorgungstruppe. Wir schlafen in den Därmen unserer Feinde, und die haben Betten! Und Bücher! Da werden wir mal richtig schmökern, was? Ich mochte immer am liebsten Karl May. Wer einmal bei Winnetou in die Lehre gegangen ist, sieht mehr als jeder andere.« Er steckte die Prothese wieder fest, schob sich eine Zigarette zwischen die Lippen und fragte beiläufig: »Aber hört mal, Jungs, wenn ihr so gut ausgestattet seid mit all dem Luxus, wozu brauchen wir dann diesen ollen Hocker? Warum ziehen wir den hinter uns her?«

Walter, die Brauen gerunzelt, bremste abrupt und drehte sich um. Auch August schob sich den Helm aus der Stirn. Der kahle Sturmmann kratzte die Hohlkehle seines Bajonetts mit dem Daumennagel blank, der andere blickte müde in die Landschaft, und ihr Vorgesetzter drückte auf sein Feuerzeug.

Der Schemel der alten Frau, nur noch dreibeinig, lag ein paar Meter hinter dem Wagen in einer Pfütze, und Walter versuchte tief zu atmen, während er ausstieg und zur Hängerkupplung ging. Sein Messer war stumpf, er fletschte die Zähne, als er den Strick abschnitt, und dabei blinzelte er in die Höhe, wo eine dünne Rauchfahne gen Westen trieb. Doch die Scheune war hier unten nicht mehr zu sehen, nur ein Stück des Mühlenturms, sein zerschossenes Dach, auf dem der Wind den Tauben die Halsfedern sträubte.

»Liebe Liesel, ich hoffe, Du hast meine letzten Briefe bekommen. Ich warte schon eine Weile auf Deine Post, und falls Du mir nach Hamburg-Langenhorn geschrieben hast, werde ich wohl noch länger warten müssen. Wir sind jetzt im Feld, in Ungarn, den Ort darf ich Dir nicht schreiben. Aber ich muß nicht in die vorderste Linie. Ich fahre zurzeit einen Henschel und versorge die Soldaten. Der Wein hier ist gut und billig, 40 Pfennig der Liter, und alle saufen den ganzen Tag, auch die Fahrer. In der Puszta sieht es wie bei uns aus, hauptsächlich flach, doch es gibt auch Berge, und man erlebt Sachen, die man nicht erzählen möchte. So ist der Krieg. Die Bevölkerung steht hinter uns, viele sprechen deutsch. Sie haben sogar eine Hitlerjugend und einen BDM, und wenn du die Mädels fragst, was das heißt, sagen sie ›Bubi, drück mich‹. Aber keine Angst, ich

bleibe Dir treu. Du bleibst mir ja auch treu. Du kannst
Dir das Stück Lavendelseife aus meiner Kammer holen,
bevor es austrocknet, Thamling hat bestimmt nichts
dagegen. Sie haben hier schöne Blusen, bunt bestickt,
schreib mir Deine Größe. Meine Feldpostnummer ist
jetzt 47704.
Rauch nicht so viel, es macht die Zähne grau. Und
wieder einmal: Eins, zwei, drei. Du weißt ja, was das
bedeutet.«

Man verkroch sich, wo immer es ging, sobald das Geräusch zu hören war. Wenn die Tiefflieger mit den roten Sternen auf den Flügeln aus ihren Bordgewehren
schossen, klang das, als würde Pappe versteppt, als
zöge man Kartonstreifen durch eine Singer-Nähma-
schine. Es waren einmotorige Iljuschins, glanzlos dun-
kelgrün gestrichen, und nur der Erfahrene sah, dass
sie neuerdings mit einem zusätzlichen Schützen flogen.
Der konnte auch nach hinten heraus feuern, so dass
anfangs viele, die erleichtert aus ihrer Deckung traten,
sobald das Schattenkreuz über sie hinweggeglitten
war, jäh zusammensanken – oft einen Herzschlag früher, als der Schall des MG sie erreichte.
Die Nachschubtruppe war inzwischen in Tata, deutsch
Totis, stationiert, in den Kellern der wuchtigen Burg-
anlage, und jede Nacht fuhren die Männer über das
Gebirge und brachten Proviant, Betriebsstoff und Munition in die Schambecker Ebene. Zwar gab es hier
kaum Hinterhalte, doch waren die Ausfälle durch die

schlechten, tagsüber von den Russen bombardierten, nachts von deutschen Pionieren geflickten Straßen enorm; immer wieder brachen die knapp spurbreiten Pässe weg, und Wagen voller Verwundeter kippten um oder stürzten in die Schluchten. Oft entstanden Staus, deren Auflösung bis in die hellen Morgenstunden dauern konnte, und dann boten die an sich dichten, im März aber noch kaum begrünten Eichenwälder wenig Deckung vor den Fliegern.

Langsam fuhr Walter den Wagen an einer vernichteten Nachschubkolonne vorbei. Reifen qualmten, tote Soldaten hingen aus den Führerhäusern, Berge von Brot zerfielen im Regen. Immer wieder musste er bremsen und zurücksetzen, um den Dreitonner durch enge Kurven zu manövrieren, wobei er manchmal ins Rutschen kam und gegen Bäume oder Felsvorsprünge stieß. Dann hörte er die Verletzten auf der Ladefläche stöhnen, und obwohl es kühl war an dem späten Abend, brach ihm der Schweiß aus.

Der Infanterist, der neben ihm saß, hielt ihm eine offene Blechdose hin. Den Kopf und das rechte Auge verbunden, konnte er noch gehen und beide Arme bewegen, und jeder andere Soldat in seiner Lage hätte eine Tetanusspritze bekommen und wäre wieder in den Kampf geschickt worden. Doch sein Vater, Hauptsturmführer Greiff, Kommandeur der Versorgungseinheit, hatte wohl irgendwelche Fäden gezogen. »Danke«, sagte Walter mit einem Seitenblick auf die gelben Pillen. »Nichts für meine Nerven, hab's versucht. Nach einer Pervitin war ich drei Tage lang wach. Mein Herz schlug irgendwo in den Wolken.«

Der Sohn seines Vorgesetzten, Jochen hieß er, ein blonder Junge mit hoher Stirn und schmalen Lippen, grinste. »Na, das ist doch der Sinn der Dinger! Deswegen bin ich wahrscheinlich noch am Leben, Mann. Wenn du pennen willst, musst du Veronal schlucken. Magst du welche?«

Er zog ein verbeultes Aluminiumröhrchen hervor, und wieder schüttelte Walter den Kopf. Der andere zuckte mit den Achseln. »Leider wird man von dem Teufelszeug immer scharf«, murmelte er. »Du frisst ein paar Pervitin, und denkst nur ans Hacken, in der größten Scheiße. Das Blut der Kameraden spritzt dir ins Gesicht, du rammst dem Iwan dein Seitengewehr in den Bauch, und kaum kannst du wieder atmen, träumst du von Badeschaum und prallen Ärschen. Dabei ist man taub da unten, wie ein Greis. Mit Anfang zwanzig kriegst du keinen mehr hoch.«

Es wurde dunkel, und als die Bergkuppe erreicht war, drehte Walter die Scheinwerfer an. Die Lichtstriche, die durch die Verhüllungen drangen, reichten gerade aus, um das Nötigste zu sehen in dem Regen, Wracks, Geröll, eine Abgrundkante. Die Gummierung der Wischer war zernutzt, das Metall kratzte über das beschlagende Glas, und beide rieben sie mit den Ärmeln darüber, als plötzlich die Bremsen blockierten. Der schwere Henschel 33 rutschte noch ein Stück weit über den Schotter, stellte sich quer, und Walter legte den Rückwärtsgang ein, um die erodierten Klötze zu lösen. Doch auch jetzt war der Fußhebel nicht mehr zu bewegen, und fluchend drehte er den Schlüssel um.

Er legte einen Gang ein und nahm sich Werkzeuge aus

dem Kasten. Es rauschte und gluckerte in der Dunkelheit, in schmalen Bächen querte das Wasser die Straße. Mit einer Karbidlampe kroch er unter den Wagen und hämmerte in ihrem gelben Licht die rostigen Muttern los, schraubte die Bremsschläuche von den verkrusteten Trommeln. Nachdem er die Flüssigkeit abgelassen hatte, startete er den Motor erneut, und nun klappte das Pedal auf den Kabinenboden, und langsam fuhr er weiter ins Tal – fast ohne Gas zu geben und ausschließlich im zweiten Gang, denn bremsen ließ sich der Wagen nur noch mit dem Handhebel und der Schaltung. Dabei heulte der Motor auf, und der Ruck fuhr allen in die Glieder.

Jochen stemmte die Füße gegen das Armaturenblech und steckte sich eine Papirossa an. Der Röhrchenfilter war doppelt so lang wie das Tabakstück, und hustend hielt er sich den Kopf. »Gottverdammtes Steppenkraut«, sagte er. »Stinkt wie verbrannte Matratzen, oder? Das werden wir bald in den Lagern rauchen – wenn überhaupt was. Habt ihr noch richtige Zigaretten? Heimliche Reserven?«

Zwar kannte Walter die Vorräte, doch murmelte er: »Wie soll ich das wissen. Da musst du deinen Vater fragen.«

Der andere machte noch einen Zug, und im Glutschein des Machorka-Tabaks sah das unversehrte Auge fiebrig aus. »Meinen Vater ... Ausgerechnet. Den werd' ich nicht mal um ein Glas Wasser bitten, den Sack. Dass ich für den Rest meines Lebens mit einer schwarzen Binde rumlaufen muss, hab ich ihm zu verdanken. In der Etappe, da hätte ich eine ruhige Kugel schieben können! Heeresversuchsanstalt Kummersdorf, nicht weit von zu Hause: Meine Mutter hatte das gedeichselt, die mochte mich mehr als ihn, und das fuchste den Alten. Kriegte Angst, dass ich verweichliche und ein Hinterlader werde. Immer schön kalt duschen, rohes Fleisch aufs Brot und ran an den Feind, verstehst du. Die alte Schule.«

Sich vorbeugend, spuckte er zwischen seinen Beinen auf den Boden. »Er kennt den Sepp Dietrich und ließ mich versetzen. Kampfgruppe Ney, nur Schweinebacken und Sadisten. Das hat mich hart gemacht, klar. Aber ein Hundertfünfundsiebziger bin ich trotzdem geworden, auch an der Front. In der Todesangst will jeder noch mal alles erleben, und das hab ich ihm auch geschrieben. Aber jetzt, wo meine Mutter tot ist und unser Haus in Jena ein Haufen Asche, jetzt wird er sentimental und macht auf Familie. Ich scheiß drauf, kannst du mir glauben.«

Eine Kurve voller treppenartiger Flickstellen lag vor ihnen, und um die Geschwindigkeit zu drosseln, schaltete Walter in den ersten Gang. Mit dem Handballen schlug er gegen den Hebel, und das Ächzen in dem alten Getriebe, ein Laut, als würde Blech reißen, sträubte ihm die Nackenhaare. »Wo hast du denn gekämpft?«, fragte er. »Auch in Stuhlweißenburg?«

»Sicher«, sagte Jochen, »Mitte Februar. Ein Höllenkessel, mehr als ein Viertel des Regiments ging drauf. Der Iwan mit absoluter Lufthoheit, aber von unseren Fliegern nicht ein Furz. Auch kein Nachschub, wir haben das blutige Brot aus den Provianttaschen der Toten gefressen. Und als wir das Kaff mal wieder verloren

hatten, hieß es, wir wären unwürdig, den Divisionsnamen zu tragen. Führerbefehl: Ärmelstreifen abtren-
nen!« Er grunzte spöttisch. »Da hatte er wohl vergessen, dass die längst entfernt waren; es sollte ja bis zum
Angriff geheim bleiben, wer aufmarschiert – ebenfalls
eine Order von ganz oben. Aber unser Adolf ist eben
ein Gründlicher; jeder Feind wird zweimal geköpft. –
Wieso fragst du nach Stuhlweißenburg?«
Walter schwieg. Die Kurve war passiert, und als er
hochschalten wollte, ließ sich der Hebel nicht mehr bewegen, auch mit Jochens Hilfe nicht. Beide zerrten sie
daran, die Stange vibrierte, schlug aus, die Antriebs-
räder krachten, und plötzlich lief die Welle leer, und
sie hörten das Klicken ausgebrochener Eisenzähne im
Getriebekasten. »Na prima, das war's«, sagte Walter
und drehte den Schlüssel um. Die Lichtstriche im Gestrüpp erloschen einen Augenblick später. »Wird eine
kalte Nacht hier draußen.«
Er zog die Handbremse an. Soviel er sehen konnte,
hatten sie den Waldrand erreicht, und Jochen kurbelte
das Seitenfenster herunter. Das Regengeräusch, ver-
vielfacht von der Plane über der Ladefläche, war oh-
renbetäubend, und er schnippte die Kippe hinaus und
rief: »Du meinst, wir müssen hier bleiben? Mitten in
der Wildnis?«
Walter sah auf seine Uhr, die Phosphorziffern. »Wo
sonst? Sie werden schon jemanden schicken, wenn
wir nicht zurückkommen, doch das kann dauern. Ich
musste mal zwei Nächte in der Steppe verbringen,
ohne Deckung weit und breit. Hab mir ein Loch gegraben. Aber falls du laufen möchtest: Bis Totis sind

es zwanzig Kilometer, ein kleiner Tagesmarsch. Viele Partisanen gibt es wohl nicht; allerdings ist die Gegend voller Feldjäger, Sorte Heldenklau.« Er hielt sich einen Finger an die Schläfe. »Die werden dir dann die Richtung zeigen.«

Wasser stürzte schäumend hangab. Er stieg aus, ging um den Wagen und löste einen Zipfel der Plane. Sechs Männer lagen auf dem Stroh, das die Sanitäter über den Blechboden gestreut hatten; einem war das geschiente Bein, einem anderen der Arm hochgebunden worden, unter das Gestänge. Kahl geschoren wegen der Läuse, drehten fast alle die Köpfe, als der Schein der Karbidlampe sie traf. Groß die Augen in den schmutzigen Gesichtern, ängstlich die Blicke, und er sagte: »Wir haben einen Getriebeschaden, tut mir leid. Wahrscheinlich holt man uns bald ab. Werft mal eure Feldflaschen her, hier gibt es jede Menge frisches Wasser.«

Nachdem er die Männer versorgt hatte – auch ein Verband musste neu fixiert und verkotetes Stroh von der Ladefläche gekratzt werden –, wusch er sich die Hände und kletterte wieder ins Führerhaus. Er verstellte die Düse, schob die Lampe unter die Armaturen, und Jochen zog eine kleine Flasche aus seinem Gepäck. »Russischer Wodka«, sagte er, das Siegelwachs vom Korken schneidend. »Mein letzter Gefangener war ein Offizier. Er zeigte mir das Foto seiner Kinder und schob mir den Fusel hin, und ich hätte ihn auch laufenlassen. Er konnte ein bisschen Deutsch. Aber die lieben Kameraden … Vergiss es.« Er reichte ihm den Flachmann mit dem erhabenen Schriftzug auf dem Glas. »Hast du eine Freundin?«

Nah war er herangerückt, zu nah, und Walter hob den Ellbogen, eine stumme Drohung. Er roch an der Flaschenöffnung, nippte von dem Schnaps, schmeckte aber nichts. »Ja, hab ich«, sagte er, die kyrillischen Lettern betastend. »Elisabeth heißt sie, Liesel.« Nach dem nächsten Schluck, einem größeren, musste er husten, und plötzlich spürte er ein leises Brennen, einen Glutstrom tief in der Brust. »Sie wohnt auf dem Hof, auf dem ich arbeite. Ist mit ihrer Mutter aus der Danziger Gegend geflohen und ganz schön frech, die Kleine, wie eine Zigeunerin. War aber auf der Realschule.«

Jochen lachte und kramte eine neue Papirossa hervor. »Na dann ...« Den Filter der Länge nach knickend, sank er gegen seinen Affen, den fellbezogenen Tornister, und sagte: »Mein Vater wollte mich immer mit der Tochter seines Kompagnons verbändeln. Er ist im Zivilleben Architekt und dachte wohl, ich könnte die Firma übernehmen. Doch ich hasse diese rechtwinklige Scheiße, bin eher im Konfusen zu Haus. Künstler wollte ich werden, frei durch die Welt ziehen und festzaubern, was mir gefällt. Aber das kann ich jetzt auch begraben. Oder hast du schon mal einen einäugigen Maler gesehen?«

Er zog an der Zigarette. »Wie steht's denn mit deinem Alten? Ist er auch beim Barras?«

Walter nickte. »Ebenfalls bei der Waffen-SS, als Wachmann. Aber zuletzt war er in einem Strafbataillon bei Stuhlweißenburg. Keine Ahnung, ob er überhaupt noch lebt. Hab lange nichts gehört.«

Jochen trank den Wodka, als wäre es Wasser. Sein Kehlkopf ruckte auf und ab. »Tja«, sagte er schließlich, »da würde ich mir auch nicht zu viele Hoffnungen machen. Die ganze Gegend ist ein Soldatenfriedhof. Wenn die Panzerketten durchdrehen und sich in den Dreck wühlen, fliegen russische und deutsche Knochen in die Luft. Aber vielleicht hat er ja Glück, der Ort ist gerade wieder in unserer Hand. Eigentlich hübsch da, alte Gebäude voller Gold und Stuck. Nur diese Ungarndeutschen haben einen Hau, jedenfalls die Kerle. Die tragen alle Quadratbärtchen und Seitenscheitel. In jedem Postamt sitzt ein Hitler.«

Er machte noch ein paar rasche, gierige Züge von der Zigarette, zerbiss zwei Veronal, spülte sie mit dem Schnapsrest hinunter. Die Flasche zerklirrte in der Dunkelheit, und Walter zog eine verfilzte Decke aus dem Gepäcknetz und sagte: »Mein Vater hat auch so eine Rotzbremse. Ist aber nie politisch gewesen, suchte nur Arbeit. Und mit dem Bärtchen nahmen sie ihn sofort ...«

Jochen lächelte müde, streifte die Knobelbecher ab und krümmte sich in seinem Mantel auf der Sitzbank zusammen, wobei er ungeniert furzte. Er verschränkte die Arme fest vor der Brust, und nach wenigen Minuten atmete er so regelmäßig, dass Walter überrascht war, als er doch noch einmal den Kopf hob. »Am Balaton hat es mir am besten gefallen«, sagte er mit schwerer Zunge. »Dieses Licht über dem See und zwischen den Bäumen ... Das hatte einen Frieden, Mann! Der war stärker als alle Granaten!«

Dann schlief er ein, und Walter löschte die Lampe. In seine Decke gewickelt saß er noch ein paar Minuten wach und hörte dem Regen zu. Schon ließ die Wirkung des Wodkas nach, die Kälte kroch ihm die Beine hoch. Im Dunkeln stöhnten die Verletzten oder husteten sich Schleim aus der Brust, und einmal sagte eine junge, fast noch kindliche Stimme wie im Schlaf: »Mama, hilf mir.« Der Soldat musste unmittelbar hinter ihm liegen und schien an der Bretterwand zu kratzen, während er leiser wiederholte: »Warum hilfst du mir denn nicht!« Walter wickelte sich fester in den rauen Stoff.

Es war die jähe Stille, die ihn weckte. Der Regen prasselte nicht mehr auf den Wagen, aus dem schäumenden Bach neben der Straße war ein glatt fließendes Rinnsal geworden. Bodennebel kroch den Hang hinauf, und die rechteckigen Fischteiche im Tal, unzählige, schimmerten schon silbergrau. Fröstelnd streckte er die Glieder, rieb sich das Gesicht. Das Marschgepäck im Nacken, hatte Jochen sich eine Felddecke bis unters Kinn gezogen und schnaufte leise. Er sah friedlich und entspannt aus; der schöne, trotz der Stoppeln weiblich wirkende Mund schien zu lächeln, doch die Pupille unter dem geschlossenen Lid bewegte sich unablässig. Einige Soldaten auf der Ladefläche schnarchten.

Langsam zeichnete sich der Horizont ab. Vereinzelte Pappeln und die Spitze eines Kirchturms ragten in den Streifen Morgengrau, der sich so gleichmäßig über die schwarze Ebene zog, dass sie einem gebogen vorkommen wollte. Eine Drossel hockte auf einer Birke am Feldrand, ihrem höchsten Zweig, und antwortete dem Gesang aus dem Wald. Dabei schlug sie manchmal mit den Flügeln oder hüpfte auf der Stelle, was unwirsch oder erbost aussah, ein wütendes Hochgehen, als würde ihr das Echo ganz und gar nicht gefallen.

Weit entfernt flog ein einzelner Jagdbomber nach Norden. Sein Motor war an diesem Hang nicht zu hören, und dass gefeuert wurde aus den Bordkanonen, ließ nur der Rauch vermuten, der hier und da in die Höhe stieg. In den ersten Strahlen der Sonne sah er wie Ziegelstaub aus. Die Maschine wurde kleiner, und Walter knöpfte die Brusttasche seiner Jacke auf, in der sich noch etwas Cola-Schokolade befand, schob sich eines der Dreiecke in den Mund. Auch die Feder des Eichelhähers lag in der Dose, er fuhr mit dem Daumen über die Kante, und in dem Moment, in dem ihm einfiel, dass die Haube des Henschel nach Osten wies und die Scheibe das Morgenlicht reflektieren musste, ein Funkeln vor dem nassschwarzen Wald, drehte das Flugzeug auch schon bei.

Er stieß den Schlafenden an, schrie seinen Namen. Aber Jochen reagierte nicht, und er sprang hinaus, rannte um den Kühler. Die Tür aufreißend, griff er ihm unter die Achseln und zerrte ihn ein Stück weit ins Freie, wobei der Junge unwillig stöhnte und nach ihm schlug. Das Bild der Iljuschin huschte durch die Teiche im Tal auf sie zu, schon war der Motor zu hören, und Walter fasste nach, schlang die Arme um den Benommenen und ließ sich rücklings gegen den Hang fallen: Da barsten die Scheiben und die Geschosse durchsiebten das Blech. Dem knackenden Stanzen folgte das kalte »Pling!« der Querschläger, und die Verwundeten schrien auf, als zwei Reifen platzten und der Laster sich, ein zischender Ruck, zur Seite neigte.

Auch die Plane wurde von Kugeln zerfetzt, und dann waren die roten Sterne auf den Flügeln über ihnen.

Der Bombenschacht schien leer zu sein; man konnte die Stiefel des Heckschützen sehen, das helle Fell an den Schäften. Seine Garbe fetzte Rinde von den Eichen und hackte Löcher in den Schotter der Straße, ehe auch sie über den Henschel strich, und Jochen wollte aufstehen. Doch Walter, dem Zweige und Wurzeln im Gesicht hingen und Grabenwasser in die Stiefel floss, hielt ihn umklammert und lauschte der Einmotorigen nach – die aber nicht drehte. Als sie den Bergkamm hinter sich hatte, war es wieder still im Wald, in dem sich der Nebel allmählich verzog. Das Morgenlicht schien durch die zarten Blätter.

Auch von der Ladefläche kam kein Laut. Er stieß Jochen fort und sprang auf, raffte die Reste der Plane zur Seite. Der Firstbalken war geknickt, und die blechbeschlagenen Bohlen zwischen den Strohlagern hatten daumendicke Löcher, durch die das Blut auf die Straße troff und sich mit dem Benzin vermischte. Keiner der Männer reagierte auf sein Rufen, und er stieg hinauf und stakte über die verdreht daliegenden Körper. In den Augen noch das jähe Entsetzen oder ungläubige Staunen, das sie wach und lebendig aussehen ließ, legte sich bereits ein Ernst auf ihre grauen Gesichter, der nicht von dieser Welt zu sein schien und keinen Zweifel mehr erlaubte. Ein Offizier, das neue Eiserne Kreuz am Brustverband, krampfte die Faust um ein Foto, auf dem ein Mädchen lächelte, und nachdem Walter bei jedem Soldaten die Halsader betastet hatte, zerbrach er die perforierten Erkennungsmarken an den Ketten, steckte sich die Hälften in die Tasche.

Er kletterte von der Ladefläche und zog eine Schaufel und eine Hacke hinter dem Führerhaus hervor. »Komm«, sagte er leise, fast flüsternd, als könnten ihn die Erschossenen noch hören, »hilf mir graben.« Doch Jochen gab keine Antwort, drehte sich nicht einmal nach ihm um. Er stand in Strümpfen auf der Straße, zog die Pillendose aus dem Mantel und schüttelte sie nah am Ohr, während er in die Ebene hinunterblickte, wo Rauch aus den Schornsteinen der Bauernkaten stieg und Fische aus den Teichen ins Frührot sprangen.

Eine Woche später wurden auch in Totis die ersten Keller und Magazine geräumt. Die Männer der Fahrbereitschaft waren in den Häusern jenseits des Burggrabens einquartiert, doch keine der Wachen auf der Brücke rief ihn an, als Walter nach dem Abendessen den entgegengesetzten Weg einschlug, Richtung Englischer Garten. Die Ausgangssperre hatte begonnen, und wo es möglich war, mied er die Straße und lief nah an Zäunen, Sträuchern oder Schutthaufen vorbei. Stille hinter den geschlossenen Fensterläden, nirgendwo ein Mensch.
Es war noch einmal kalt geworden, Eis umgab die Pfützenränder. Er sah recht gut im Dunkeln, auch auf den Gartenwegen zwischen den Straßen, dennoch bemerkte er das Motorrad mit dem Beiwagen erst im letzten Moment und trat hinter einen Baum. Leiser als der Regen rollten die Soldaten in ihrem schwarzen Gummizeug den Schlossberg herab, und erst am Tief-

punkt der Straße startete der Fahrer das Krad, wobei er ins Rutschen kam auf dem glänzenden Pflaster.

Das große Eisentor stand offen, und Walter hielt sich nah an den Kiefern und hob den Kopf, als es plötzlich laut wurde über ihm, ein Zwitschern und Rauschen in den Schlafbäumen des Parks. Auch das requirierte Vieh in den Pavillons und Kapellen begann zu schreien, Hunde kläfften, und erst dann erklang der Luftalarm, die alte, mit einer Handkurbel betriebene Sirene auf dem Turm. Ihr Schall wurde vom Burgsee verstärkt, und die großen Strahler auf dem Kalvarienhügel, rauchend im Regen, tasteten die Wolken ab.

Man hatte die meisten Fenster des Palmenhauses mit Brettern verschalt. Moosige Amphoren, ehemals Dachschmuck des barocken Gebäudes, lagen zertrümmert im Kies. Das Lazarett war eine Durchgangsstation; wer nicht wieder an die Front musste, wurde nach rascher Notbehandlung weitertransportiert, Richtung Graz oder Wien. Ungarndeutsche Nonnen saßen in der vorgebauten Säulenhalle, wuschen Verbände in Zubern und rauchten, und ein Arzt, den fleckigen Kittel offen über der Uniform, rasierte sich vor einem Spiegel und musterte ihn stumm. Seine Frage beantwortete er mit einer Kopfbewegung.

Alle Betten und Strohsäcke, an denen er vorüberkam, waren belegt. Nur wenige Lampen hingen in dem großen, von Vorhängen unterteilten Raum, und trotz des üblichen Lazarettgeruchs nach Wundbrand und Karbol war ein Hauch von Zitronen- oder Orangenduft wahrzunehmen. Weiß blühende Bäume standen in Holzkübeln in den Ecken, Kamelien leuchteten rosa und rot, an einer Palme hingen junge Bananen; der Boden wurde von den warmen Quellen des Ortes geheizt. Hier und da hockten Männer neben ihren Betten auf dem Marmor, und als er einen Vorhang zur Seite raffte, hob Fiete den Kopf und grinste ihn an.

In seinen grau umdunkelten Augen ein neuer Ernst, und die Zähne waren seltsam kreidig geworden und standen auch weiter auseinander, wie ihm schien. Die Haare nur noch stoppelkurz, den linken Arm in einer Schlinge, saß er unter einem schmalen, mit Sandsäcken zugepackten Fenster, und vorsichtig griff Walter nach seiner gesunden Hand. Doch er fasste kräftiger nach und zog ihn auf seine Matratze herunter; Stroh quoll aus den Nähten des gestreiften Stoffes. »Glotz nicht so entgeistert«, sagte er und klappte ein Buch zu. »Ich kratz schon nicht ab. Hast du mir keine Blumen mitgebracht?«

Er trug seine Uniformhose und ein Sporthemd mit Runen, und seine Kopfhaut war rot von aufgekratzten Läusebissen, manche eiterten schon. Auch die Brauen hatte man ihm wegrasiert, und Walter wies auf seine Schulter, den reinweißen Verband. »Kommst du damit nach Haus?«

Fiete schnalzte. »Ach was! Das war nur ein Splitter, unterm Schlüsselbein. Wenn die Wunde sich nicht entzündet, bin ich bald wieder verwendbar. Vor einem Jahr oder so, da wäre das ein Heimatschuss gewesen, mit Kur und allem. Doch jetzt ... Mann, ich hab Maschinengewehrschützen auf Krücken und einarmige Panzerfahrer gesehen!« Er schraubte seine Feldflasche auf, goss sich etwas in den Becher. »Dabei weiß inzwischen jeder, dass dieser Krieg nichts mehr bringt. Unsere Offiziere werfen ihren eigenen Leuten Handgranaten in die Hacken, damit sie überhaupt noch angreifen.«

Dann trank er einen Schluck und fragte: »Was machst'n eigentlich hier, du Milchsoldat? Bist du nicht in der Fahrbereitschaft?«

Walter, dem warm wurde, öffnete seinen Mantel, griff in die Innentasche. »Da sollte ich sein, ja. Aber wahrscheinlich müssen wir nicht raus heute Nacht, jedenfalls nicht mit Munition. Die ziehen die Hauptkampflinie in unserem Abschnitt zurück.« Er blickte sich um. »Zurückziehen darf man natürlich nicht sagen. Sie bereiten einen Stoßangriff vor, und dazu muss man eben Anlauf nehmen.« Zwinkernd reichte er ihm ein Päckchen. »Hier, statt Blumen ... Hab leider den Senf vergessen.«

Fiete öffnete den Mund, die gesprungenen Lippen, rieb sich das Kinn. Fast alle Nägel waren abgenagt bis auf die Haut, und seine Finger zitterten, als er den Kasselerbraten, ein großes Endstück, an dem noch Krautfäden und Wacholderbeeren klebten, aus dem Fettpapier wickelte. »Heiliges Kanonenrohr!«

Er neigte den Kopf, sog den Duft nach Majoran und Lorbeer ein, und seine Augen wurden feucht. »Bislang dachte ich immer, an der Front ist Sterben das Ärgste«, sagte er und sah den Freund an. »Aber das stimmt nicht, Ata, das ist überhaupt nicht wahr. Wenn man Glück hat, ist Sterben ein Fingerschnippen. Dass du kaum Schlaf kriegst und nie weißt, ob Nachschub durchkommt, ist viel furchtbarer. Den Gedanken, hungrig massakriert zu werden, kannst du kaum ertragen. Satt essen will man sich noch ein Mal, bevor man für nichts und wieder nichts draufgeht.« Leise stöhnend biss er in das zarte Fleisch. »Für Großdeutschland, meinte ich natürlich … Danke, Mann, ich schulde dir was.«

Doch Walter winkte ab. Schon hörte man das Brummen der russischen Tupolews und die fauchenden Vierlingskanonen, mit denen die Flugabwehr immer schoss, wenn der Himmel bedeckt war; sie drehten sich schnell um die eigene Achse. Normalerweise griffen die Bomber die unterirdischen Bunker und Munitionsfabriken am Stadtrand an, doch an diesem Abend gab es auch Treffer in der Nähe. Der Luftdruck ließ die Bretter vor den Fenstern rappeln, aus den Rissen des hohen, mit Wolken und Vögeln bemalten Gewölbes rieselte Staub, und die Schwestern liefen herbei, drehten die Karbidlampen aus.

Die Brenner glommen noch etwas nach, und obwohl es eigentlich nicht sein konnte in dem Geschützlärm ringsum, dem Heulen der Motoren und Schreien der Tiere, glaubte Walter einen Moment lang, die warme Quelle unter dem Marmor zu hören, ihr leises Gluckern. Er zog seine Armbanduhr auf. »Mein Vater ist gefallen«, murmelte er und starrte in die Dunkelheit. »In einem Strafbataillon, nicht weit von hier. Vorgestern kam das Telegramm. Womöglich war er anständiger, als ich dachte. Aber das kann ich ihm jetzt nicht mehr sagen.«

Fiete hob den Kopf. »Tut mir leid«, sagte er und wischte sich mit dem Handrücken über den Mund. »Das wünscht man keinem ... Ich hab ein paar von diesen Himmelfahrtskommandos gesehen. Die armen Teufel werden ohne Deckung in den größten Schlamassel geschickt – oft nur, um ein feindliches MG abzulenken ... Konntet ihr miteinander? Mochtest du ihn?«

Walter blies die Backen auf. »Na ja, ein Vorbild war er nicht. Gesoffen hat er und geprügelt und meine Schwester betatscht. Doch manchmal sind wir zu zweit an die Ruhr, zum Fischen; er hatte einen Räucherofen im Keller. Und seine Drachen aus Laternenpapier flogen immer am höchsten. Später, als ich mich wehren konnte gegen seine Schläge, haben wir kaum noch geredet. Aber komisch, seit ich weiß, dass er tot ist, wächst mein Bart viel schneller, keine Ahnung, wieso. Muss mich jeden Tag rasieren. Außerdem ist irgendwas verkehrt mit mir, ich hab dauernd Angst, richtigen Schiss, bevor wir rausfahren.«

Fiete trank etwas Wasser. Seine Eltern waren bei den Luftangriffen auf Hamburg gestorben, und er lehnte den Kopf gegen die Wand, wo seine Jacke an einem Nagel hing, und sagte: »Ich glaube, das ist normal, Ata. Er hat dich bestimmt geliebt, Väter können gar nicht anders. Und wenn sie weg sind, fehlt dir was, ein Schutz oder so, was Geheimnisvolles, und du kriegst erst mal Muffe und heulst. Aber irgendwie wirst du auch stärker.«

Feuerschein fiel durch die Ritzen der Verschalungen, und Walter kratzte sich einen Handrücken und nickte. »Hätt' ich nichts gegen ...« Er zeigte auf das broschierte Buch. »Was liest'n da eigentlich? ›Die heimliche Stadt‹? Ist das erlaubt?«

Fiete grinste. Er verschlang den Rest des Bratens, leckte das Fettpapier ab und anschließend jeden Finger. »Keine Angst, Häuptling, sind nur Gedichte, die stürzen den Staat schon nicht um. – Zu rauchen hast du wahrscheinlich nichts, oder?«

Kopfschüttelnd blätterte der andere in dem Band, in dem es hier und da Randnotizen gab. Dann griff er in die Tasche und reichte ihm eine flache Schachtel Overstolz. »Mit besten Grüßen vom ollen Jörn. Vielleicht kommt er morgen mal vorbei.«

Fiete, hocherfreut, klopfte ihm aufs Kreuz und schob sich eine Zigarette zwischen die Lippen. Doch in dem Moment, in dem er das Zündholz anriss – winzige Funken sprangen vom Schwefelkopf – schien es ringsum stiller zu werden, ein sausendes Vakuum zwischen zwei Herzschlägen, in dem sich die Trommelfelle in den Ohren bewegten und der Atem stockte. Und dann detonierte eine Bombe neben der Orangerie.

Ein Ruck ging durch das Gewölbe, große Putzbrocken zerplatzten auf dem Boden, die Krankenschwestern schrien. Laken wurden zur Seite gerafft, Eisenbetten verschoben, und wer noch gehen konnte von den Verletzten, schleppte sich durch die Staubwolken zum Ausgang. Auch Walter sprang hoch und half dem Freund in die Stiefel. Dann hängte er ihm die Jacke um, griff nach dem Rucksack neben dem Lager und blickte sich vergeblich nach seinem Mantel um. »Geklaut«, murmelte Fiete und ging hinaus.

Der Himmel über dem Park war hell. Die Augen tränten in dem Gluthauch, der ihnen die Luft nahm. Die Russen hatten den Stadtteil an der anderen Seeseite mit Phosphor bombardiert. Festgeklebt auf dem schmelzenden Straßenbelag verbrannten Soldaten in schwarzem Rauch. Von Flammen wie von Schleierfetzen umhüllt, rannten Frauen über die Promenade, warfen ihre brennenden Kinder von der Mauer und sprangen blindlings nach. Bäume loderten, Glocken läuteten Sturm, doch die hohen Fontänen der Löschtrupps verdampften, ehe sie ihr Ziel erreichten.

Das Echo der Acht-Acht-Kanonen hallte über den See, und irgendwo hinter ihnen war der heulende Sinkflug eines getroffenen Bombers zu hören. Unzählige Menschen wälzten sich im Wasser, das brodelte, zischte, dampfte, und kaum tauchten sie wieder auf und wankten ans Ufer zurück, reagierte die Chemikalie erneut. Der Kautschukfilm auf ihrer Haut entzündete sich am Sauerstoff, ein bläuliches Flackern, und wenn die Verzweifelten, deren Schreie immer schriller herübergellten, nach den Flammen schlugen, hafteten die an ihren Händen, und sie verteilten sie noch mehr. So dass ihnen nichts blieb, als wieder still in das eisige Wasser zu sinken.

Unter Fichten führte der Weg auf eine kleine, weiß verputzte Kirche zu. Die Glasfenster waren zerschlagen, ein Türflügel geöffnet. Der Feuerschein der Stadt flackerte über die Statuen und Gemälde, und die Tiere, knapp zwanzig graue Steppenrinder mit dunklen Augenflecken, drehten die Köpfe. Man hatte ein paar Bänke in der Mitte des Raumes so zusammengenagelt, dass jeweils zwei eine Krippe bildeten, aus der sie eine bräunliche Silage fraßen. Nirgendwo Stroh, Urin pladderte auf den Mosaikboden, und Fiete verzog das Gesicht. »Na, guck dir das an. Der alte Thamling würde uns kreuzigen, wenn er solche verschissenen Ärsche sähe. Sind die Viecher leergemolken?«

An den Beinen und auch untereinander gefesselt, waren sie erst gerade kupiert worden; eine Schubkarre voll geriffelter, gut armlanger Hörner stand neben dem Altar. »Scheint so«, murmelte Walter, während er einen Euter betastete. Die umhaarten Zitzen dieser Rasse waren nur stummelkurz, und statt mit der Faust musste er mit den Fingerspitzen zufassen. »Oder warte, hier ist eine Trächtige, hochträchtig. Die kommt bald nieder.«

Die Holzeimer, die zwischen den Futterhaufen in den Krippen standen, waren zwar leer, aber verdreckt, und im Tabernakel lag nur eine Schachtel Streichhölzer. Doch das muschelartige Becken im Taufstock ließ sich herausnehmen, und nachdem er die Fesseln der Kuh kontrolliert hatte, schob er die kunstvoll gravierte Zinnschale unter das Euter.

Anders als viele Trächtige, die bocken und treten, wenn man ihnen die erste, für das Kalb überlebenswichtige Milch nimmt, verhielt sich diese, eine Färse wohl, ganz ruhig; sie leckte Fiete sogar die Hand. Walter molk gut einen Liter ab, und sie setzten sich unter das Ewige Licht, das von der Decke hing, und tranken abwechselnd davon. Dick wie Puddingsauce und von feinen Fäden Blut durchzogen war die Biestmilch, es gab nichts Stärkenderes, und nachdem sie die Schale geleert hatten, betrachteten sie das Emblem auf dem Boden, einen Greif mit einem Krummsäbel in der einen und drei Rosen in der anderen Kralle. »Fidelis ad mortem«, stand darunter. »Treu bis zum Tod«, übersetzte Fiete. »Kommt einem bekannt vor, oder?«

Die Kanonen waren verstummt, die Bomber nicht mehr zu hören, doch wurde keine Entwarnung gegeben. »Ortrud hat geschrieben«, murmelte er und blickte rauchend durch das offene Kirchentor. Sogar das Schilf brannte, Leichen trieben auf dem Wasser, drehten sich langsam in der Strömung der Zuflüsse. »Bei denen ist auch schon Philippi am Letzten. Der Gasthof hat einen Volltreffer gekriegt, der Kahn ist hin. Sind aber alle heil geblieben. Und jetzt denkt mein Mädchen an eine Ferntrauung. Wusste gar nicht, dass es so was gibt. Im Standesamt legen die einen Helm auf den Tisch, und das bin dann ich.«

Er rückte näher, und obwohl kein Mensch im Raum war, dämpfte er die Stimme. »Wie würdest du eigentlich türmen, sag mal? Mit einem Motorrad, oder? Da ist man wendig.«

Doch Walter verneinte. »Ich würde gar nicht abhauen, jedenfalls nicht hier. Die Straßen sind verschlammt, bis zur Reichsgrenze ist alles flach, keiner kann sich verstecken. Die Feldjäger sehen jeden auf tausend Meter Entfernung und knüpfen dich sofort auf, ohne Prozess. Das sind richtige Sauhunde. Wahrscheinlich riskierst du weniger, wenn du dich raushältst bis zum Schluss.« Er zeigte auf seinen Arm. »Reib dir Dreck in die Wunde; vielleicht kriegst du Fieber und Schüttelfrost und bist nicht mehr einsatzfähig. Machen einige.«

Fiete zupfte etwas von dem Teppich, der auf den Altarstufen lag. »Das, meine Damen und Herren, war der gute Rat zum sicheren Ende.« Die Stimme dunkel, klang er wie ein Reklamesprecher im Kino. »Der Strick ist Ihnen zu eng? Die Kugel zu schnell? – Nehmen Sie doch eine leckere Sepsis! Drei Wochen Krämpfe auf dem Krankenbett, schön warm in der eigenen Scheiße, und schließlich hören Sie die Engel singen. Für Parteigenossen gratis. Menschen zahlen mit dem Leben.«

Walter grinste, wedelte den Rauch vor seinem Gesicht fort, und beide hoben sie die Köpfe. Bänke wurden verschoben in der Dunkelheit unter der Empore, Klauen scharrten über den Boden, und eine halbnackte, von Pfeilen durchbohrte Heiligenfigur wackelte auf ihrem Sockel. Immer wieder stießen die Tiere die Schnauzen in die leeren Eimer, und Fiete, seufzend, riss ein Streichholz an und öffnete die Tür neben dem Beichtstuhl. Das Flämmchen glitt über ein Regal voller Kelche, Karaffen und anderem Zubehör für die Messe, und plötzlich schlug etwas um, und er rief: »Hier gibt's zwar ein Klo, aber kein Wasser. Nicht mal geweihtes.«

Walter stand auf, schloss den Mantel, und die Steppenrinder drehten die Köpfe, als er nach den Holmen der Schubkarre griff und ihre langen Hörner auf den Boden kippte. Kaum gekrümmt, kollerten sie mit einem hellen Geräusch bis unter die Kanzel; es schmerzte in den Zähnen. Er sammelte ein paar Eimer ein und schob sie über die Wiese zum Ufer. Die breiten Strahlen der Suchscheinwerfer kreuzten sich in der Luft, und vereinzelte Flocken wehten herab, die er zunächst für Schnee hielt; es war aber Asche. Nachdem er das

Wasser probiert und die Eimer gereinigt hatte, schöpfte er sie voll, stellte sie in die Karre und ging vorsichtig in die Kirche zurück. Auch an die Griffe hatte er zwei gehängt, und erst auf dem polierten Türstein, mehr Mulde als Schwelle, schwappte etwas über.

Fiete, in einen bestickten Chormantel gehüllt, prostete ihm mit einer Weinflasche zu. »Das Blut unseres Herrn«, sagte er. »Auf den Ewigvater, den Friedefürsten und die Kalbsleberwurst! Kein Schluck den Idioten!« Er hatte mehrere dicke Altarlichter gefunden und angezündet, das Blattgold der Ikonen strahlte, und Walter tränkte die Tiere, die schon eingesunkene Augen hatten vor Durst. Die langen Schatten ihrer Wimpern lagen wie Tränenspuren auf den zartgrauen Wangen, und noch einmal schob er die Karre zum See.

Nachdem alle Kühe versorgt waren, setzte er sich wieder zu dem Freund auf die Altarstufen. Zigarette im Mundwinkel, hielt der ihm die Flasche hin, »Frühmesse Riesling«, und stumm blickten sie in die Nacht hinaus. Funken stoben aus den zusammensinkenden Dächern, den Fenstern, die Luft roch nach verschmortem Bakelit. Löschfahrzeuge und Sanitätswagen fuhren am anderen Ufer entlang, Verbrannte wurden in Decken gehüllt. Im Korpus der bemalten Orgel hallten ferne Schreie wider. »Elisabeth hat seit Wochen nicht geschrieben«, murmelte Walter und nippte von dem Wein. »Seit wir ausgerückt sind. Hoffentlich ist da nichts passiert.«

In der Stube, die er sich mit vier anderen Fahrern teilte, dem Lager einer ehemaligen Bäckerei, war es noch dunkel, als jemand seinen Namen rief. Der Strahl einer Lampe strich über die weißen Kacheln, und er setzte sich auf. Hinter der Silhouette in der offenen Tür dämmerte es bereits, ein Hauch von Morgenrot, und der Junker im Mantel sagte gedämpft: »Los, anziehen! Zum Chef.«

Nur an den Zigarettenkippen auf dem Pflaster war noch zu erkennen, wo der MG-Posten gestanden hatte. Die Sandsäcke lagen im Burggraben, und Walter knöpfte sich Hemd und Jacke zu, während er dem Mann über die Brücke folgte. Lastwagen, zum Teil mit Netzen und Zweigen getarnt, kamen ihnen entgegen, und auf dem Hof wurden Halbkettenfahrzeuge beladen. Sowohl SS- als auch Wehrmachtssoldaten trugen Kisten, Möbel und Teppichrollen aus der Burg, und als jemand mit einer großen, auf eine Tafel gezogenen Frontkarte gegen einen Pfeiler stieß, rieselten die roten und grünen Fähnchen auf das Pflaster.

Der Rittersaal war gut geheizt. Hauptsturmführer Greiff, wie stets in Reithosen und polierten Stiefeln, stand unter dem hohen Erkerfenster und unterschrieb eine Liste, die eine Krankenschwester ihm hinhielt. Hager der Mann, mit scharfem Profil; die Falten und Furchen in seinem Gesicht waren tiefer geworden in den letzten Wochen. Doch trotz des klingenförmigen Schattens, den der Mützenschirm über die Augen warf, glaubte Walter einen Anflug von Belustigung darin zu erkennen, als er die Fingerspitzen an die Hosennähte legte und die Absätze zusammenschlug.

Die Schwester ging, und der Offizier trat an den großen Tisch, auf dem sich Akten in grauen Ordnern
häuften. »Urban, nicht wahr? Walter Urban, Fahr-
dienst. Wo waren Sie gestern Abend?«, fragte er und
musterte seine schmutzige Uniform. »Wie ich höre, haben Sie sich unerlaubt aus dem Quartier entfernt. Und
Sie wissen vermutlich, was das bedeutet? Drei Stunden
strafexerzieren für die ganze Stube, mindestens drei,
das entscheidet der Spieß. Immer schön unterm Stacheldraht durch ... Danach werden Ihre Kameraden
Sie richtig lieb haben.«
Er grinste dünn, und als Walter Atem holte, um seine Abwesenheit zu erklären, wischte er mit der Hand
durch die Luft. »Schon gut, Schwamm drüber; sind ja
da. Stehen Sie bequem.«
Es knisterte und knackte in dem grünen, mit goldenen
Zinnen verzierten Kachelofen neben seinem Schreibtisch, und er öffnete eine Mappe. »Mein Sohn hat
mir erzählt, was Sie neulich für ihn getan haben und
was er Ihnen verdankt. Oder was ich Ihnen verdanke,
könnte man auch sagen. Eigentlich war Ihr Verhalten
pflichtgemäß, eine Selbstverständlichkeit, doch in der
gegenwärtigen Lage, in der jeder bloß den eigenen
Arsch retten will ... Na ja. Ich bin jedenfalls stolz und
froh, Männer wie Sie in der Truppe zu haben, beherz-
te Männer, und werde Sie für eine Auszeichnung vor-
schlagen.« Er zerriss ein paar Aktenblätter. »Irgendwelche Einwände?«
Im Flur waren Kommandos zu hören, Flüche und rasche Schritte treppab, und Walter schüttelte zunächst
den Kopf, fand keine Worte. Doch dann drückte er

sich die Daumennägel fest in die Spitzen der kleinen Finger, nahm wieder Haltung an und sagte heiser: »Na ja, wenn Sie erlauben … Ich will nicht undankbar sein, Hauptsturmführer, wirklich nicht. Ich weiß die Ehre zu schätzen. Aber vielleicht … Ich meine …« Er schluckte. »Könnte ich stattdessen nicht ein paar Tage frei bekommen?«

Senkrechte Falten zwischen den Brauen, hob der Offizier das Kinn. »Sie wollen was?« Er lachte trocken, wie nach einem herben Witz, und öffnete den nächsten Ordner. »Geheime Kommandosache« stand auf dem Deckel. »Tut mir leid, Junge, das ist nun wirklich nicht drin. Sie sehen ja, was hier los ist. Da kriegt man eher Eichenlaub mit Schwertern und Brillanten. Niemand darf nach Hause, nicht mal ich.«

»Nein, nein!«, sagte Walter rasch. »An Heimaturlaub habe ich nicht gedacht, Hauptsturmführer. Ist eh alles kaputt bei uns, und Züge fahren auch kaum noch.« Er räusperte sich. »Mein Vater ist vor kurzem gefallen, bei Stuhlweißenburg, und ich würde gern an sein Grab. Ich meine, vielleicht finde ich es ja gar nicht. Aber ich will es doch gesucht haben.«

Auf dem Hof wurden Motoren gestartet, die Fensterscheiben vibrierten. Noch einmal musterte ihn der Offizier, nun mit einem milden, nahezu zivilen Ausdruck im Gesicht, und zog sich dabei die Handschuhe an. Das dünne Glattleder saß so eng, dass man jeden Knöchel und sogar den doppelten Ehering sah, und kopfschüttelnd öffnete er die Tür des Ofens und schob einige Papiere hinein. Es pfiff im Rohr, Flammen schlugen aus dem Loch, und die gelben Blätter wurden schwarz und die großen SS-Runen weiß in der Glut, ehe alles zu Asche zerfiel.

Dann seufzte er hörbar, griff in die Schreibtischlade und drehte seinen Füller auf. »Also gut«, sagte er. »Ausnahmsweise. Hier ist ein Marschbefehl, Stuhlweißenburg und Bezirk. Sprechen Sie mit niemandem darüber. Gehen Sie zum Schirrmeister und lassen Sie sich ein Fahrzeug und Betriebsstoff für drei Tage aushändigen. Keine Umwege, keinen Kontakt zur Bevölkerung. Danach will ich Sie in Abda wiedersehen, wohin wir uns vorläufig umquartieren. Das liegt südwestlich von Győr an der Raab, fragen Sie sich durch.« Zwinkernd reichte er ihm das Dokument. »Und vergessen Sie den Karabiner nicht. Für die Russen sind wir auch im Urlaub Verbrecher.«

Walter salutierte. Lautlos fiel die gepolsterte Tür ins Schloss. Niemand mehr auf den Treppen oder in den Schreibstuben, die offenen Schränke leer, und er lief über den Hof, wo inzwischen nur noch eine Limousine mit blauen Standarten, ein Opel Blitz voller Kanister und zwei Motorräder standen. Der Schirrmeister, ein dicker Reservist, der sein Büro im Turmkeller hatte, setzte sich gerade den Helm auf und sagte: »Da hättest du aber früher kommen müssen, Bub. Woher soll ich denn jetzt noch ein Auto zaubern! Zwei Stoewer und ein Kübel sind mir letzte Nacht zerschossen worden, fast neue Dinger.« Er spuckte aus. »Ich könnte dir einen kleinen Esel oder ein requiriertes Damenrad anbieten. Oder du nimmst dir eine von den Melder-Gurken da draußen. Die sind vollgetankt.«

Die Viertakter-Maschinen, eine BMW R 75 und eine

Zündapp, beide mit Beiwagen, waren schlammverkrustet, doch ihre Motoren klangen einwandfrei, und nachdem Walter den Ölstand und den Reifendruck überprüft hatte, entschied er sich für die BMW. Er zog einen Einheitskanister von der Ladefläche des Blitz, schnallte ihn hinter das Ersatzrad und fuhr langsam über die Brücke ins Quartier, um sich seinen Mantel, das Marschgepäck und den Proviant zu holen. Hell stand die Märzsonne über dem Ort. Hier und da rauchten noch Häuser, lagen verkohlte Leichen, aber die Brände waren gelöscht und die Phosphorlachen auf dem Markt mit Sand bestreut. Baumstriezel wurden schon wieder ausgerufen und frische Sesamkringel. Von den meisten Reichsflaggen über den Türen hingen nur noch Fetzen an den Stangen.

Vor der Einfahrt zum Englischen Garten, wo die zartgrünen Forsythien einem fast gelb vorkommen wollten, standen zwei Feldgendarmen in offenen Capes und rauchten. Auf dem polierten Granitpflaster wurde der Bremsweg länger als vermutet, und er war keine Kradlänge an dem Mann mit der roten Kelle vorbeigerutscht, da entsicherte der andere schon seine MP. Walter hob beschwichtigend eine Hand, griff sich mit der anderen in den Mantel und hielt den Jägern Soldbuch und Marschbefehl hin. Die Blattspitzen zitterten, und der mit der Waffe musterte ihn aus schmalen Augen, ehe er die Dokumente überflog.

»Oho!«, sagte er. »Da hat aber jemand einen Stein im

Brett. Vom Chef persönlich … Hier steht allerdings Stuhlweißenburg, Schütze; das liegt Richtung Kanonendonner. Oder wollten wir am Ende desertieren?«
Seine Kieferknochen zuckten. »Nein, nein, wieso denn«, antwortete Walter und wies in den Park. »Ich möchte mich nur rasch von einem Freund verabschieden. Er liegt im Spital.«
Der Offizier blickte an ihm vorbei auf die Hauptstraße, wo ein Trupp Gefangener marschierte, bärtige Russen in den Fetzen ihrer Uniformen. Manche waren barfuß, und die ungarndeutschen Milizionäre, die sie bewachten, ließen ihre Peitschen knallen. »Im Palmenhaus? Da gibt es nur noch Tote. Alle transportfähigen Verletzten wurden heut früh nach Győr gebracht. Außerdem haben Soldaten keine Freunde, sie haben Kameraden.« Er warf ihm die Papiere auf den Tank. »Und jetzt wisch dir die Scheiße aus dem Nacken und hau ab!«
Walter grüßte vorschriftsmäßig und verließ den Ort Richtung Süden. Das Land war flach bis zum Horizont, das Vorjahresgras vom Regen zerdrückt. Hier und da stieg der Baumgalgen eines Brunnens in den Himmel, der sich blau in Pfützen und Hufabdrücken spiegelte. Nirgendwo Menschen, kein Vieh, doch zwischen den verbrannten oder eingefallenen Bauernkaten längs der Straße gab es bewirtschaftete Felder. Auf bröckeligem Boden schimmerten junge Maispflanzen, und sogar die Abdrücke der Panzerketten hatte man als Saatgrund benutzt; Rübenblätter ragten an ihren roten Stängeln aus dem Strohmulch hervor.
Hoch über dem Krad, die Federn an den Flügelspitzen aufgestellt, segelte ein Bussard, und Walter stoppte un-

ter einem Baum und schraubte die Wasserflasche auf. In dem wiederholten Fiepen des Tiers glaubte er eine schrille Empörung über seine Gegenwart mitzuhören, und während er trank, bemerkte er die Kaninchen, ein Dutzend oder mehr. Regungslos lagen sie in großen Abständen voneinander in dem braunem Gras, und jeder hätte sie vermutlich übersehen, wäre nicht der leise Wind gewesen, der hier und da in ihre Fellhaare fuhr und die weißliche Unterseite zeigte.

Die Ohren flach auf dem Rücken, die Hinterläufe weggestreckt, zitterten sie zwar unter dem Schrei des Bussards, dessen Schatten schneller über die Ebene glitt, als er seine Kreise zog, machten aber keine Anstalten zu fliehen oder in eine Deckung zu kriechen. Alle waren abgemagert bis auf die Rippen und hatten dick geschwollene Lider und blutige Augenschlitze, und Walter suchte die Ebene mit dem Feldstecher ab. Dann hängte er sich die Gasmaske ans Koppel und fuhr langsam weiter.

Er kam von Osten, dieser Wind, man konnte sich einbilden, Bergkräuter zu riechen, und die Sonne stand schon hoch, als er einen Weiler in der Puszta erreichte, vier oder fünf Häuser mit Dächern aus rostendem Blech, von einem Schornstein überragt. Der gehörte zu einer Ziegelei, in der aber niemand arbeitete; der Brennofen kalt, die Holzformen leer, aus dem Lehm-Ton-Gemisch in der Grube wuchsen zartgrüne Halme. Auch die Katen schienen nicht bewohnt zu sein, die Fensterläden waren geschlossen, und als er an einer Türglocke zog, quietschte nur das Scharnier. Sie hatte keinen Klöppel.

An einer Eiche vor der Kreuzung, wo auch ein weiß getünchtes Backhaus stand, baumelte ein Gehenkter, ein Soldat der Waffen-SS. Seine rechte Hand war dick bandagiert und das Gesicht mit den zugekniffenen Augen und dem offenen Mund vom Straßenstaub bedeckt. Er mochte in Walters Alter gewesen sein; auf der Wange, die fast die Schulter berührte, waren Schnabelhiebe zu erkennen, und vor seiner Brust hing ein weißes Holzschild mit der Aufschrift »Ich bin ein Feigling. So wird es allen Vaterlandsverrätern ergehen, die ihre Kameraden im Stich lassen. Sieg oder Sibirien!«. Man hatte die akkuraten, wie gedruckt aussehenden Buchstaben, schwarze Fraktur, entlang einer Bleistiftlinie auf das Schild gepinselt.

Keine Rangabzeichen mehr, keine Erkennungsmarke, und Walter zog die Kamera aus dem Beiwagen, eine kleine Voigtländer in einem Lederetui, die er sich von Jörn geliehen hatte; doch dann vermochte er es nicht, auf den Auslöser zu drücken. Er ging in das Backhaus und setzte sich auf eine Bank unter dem kleinen Fenster. Am Horizont stiegen Rauchsäulen in großen Abständen voneinander in den Himmel und vereinigten sich zu einer langgezogenen schwarzen Wolke, die Richtung Balaton trieb. Geschützeinschläge waren als Vibrationen unter den Füßen zu fühlen, und der Knoten am Astholz knarrte, wenn eine Böe den Erhängten bewegte. Auch seine Zähne waren grau vor Staub.

Der alte Buchsbaumzweig mit den fast transparenten Blättern am Wandkreuz zitterte, und Walter krümmte sich auf der Bank zusammen. Die filzbezogene Flasche als Kissen, die gefalteten Hände zwischen den Knien, schlief er über eine Stunde lang unter seinem Mantel. Am Nachmittag aß er etwas Brot mit Tubenkäse, füllte den Tank auf und machte sich wieder auf den Weg, eine krumme Spur zwischen dornigen Sträuchern, bis in Hüfthöhe grau von Wollflocken. Auch an anderen Bäumen oder Pfählen in der Ebene hingen junge Soldaten mit groß beschrifteten Schildern vor der Brust. Viele hatten umgestülpte Taschen, kaum einer trug noch Stiefel, und die Füße, wenn nah über dem Boden, waren angenagt bis auf die Knochen.

Die Schatten wurden länger, und nachdem er das Grasland bis zu einer Anhöhe durchquert hatte – seine Staubfahne trübte noch weit hinter ihm die Luft –, bog er auf eine gepflasterte Straße. Von Eschen gesäumt, führte sie in ein Dorf mit einer Bahnstation, einem Schuppen, auf dem »Wolfen« stand, und er fragte die beiden Soldaten an der Flak nach dem Friedhof. Das 3,7-cm-Geschütz war auf eine Draisine geschraubt, und die Männer, die rauchend auf den Munitionskisten hockten, beäugten ihn müde. »Gräber gibt's hier mehr als lebendes Volk«, antwortete der größere der beiden, ein Gefreiter mit bandagiertem Kopf. »Wen suchst du denn?«

Das schmale, von einem Zaun umgrenzte Ehrenfeld für die Angehörigen der Waffen-SS lag am Dorfausgang und unterschied sich von dem der Wehrmachtssoldaten auf der anderen Straßenseite dadurch, dass die Querbalken der Birkenkreuze schräg angesetzt waren, die pfeilförmige Todes-Rune. Auf den Spitzen die Helme der Umgekommenen, und er stellte das Motorrad aus, öffnete die Pforte mit dem Lederscharnier und schritt die Gräber ab, wobei ihm das Herz in der Kehle pochte. Es gab kleine Holzschilder mit eingebrannten Inschriften, und hier und da lagen Blumen auf den Sockeln, Sternhyazinthen, gelbes Fingerkraut. Den Namen seines Vaters fand er jedoch nicht.

An der Kopfseite des Friedhofs stand ein übermannshohes Kreuz, ebenfalls aus Birkenholz, und der Soldat, der davor kniete und die Erde harkte, blickte sich nach ihm um. Es war ein älterer, am Hinterkopf schon kahler Mann mit einer Brille und Aluminiumborten an jedem Ärmel der Uniform, und er griff nach seinen Krücken im Gras und richtete sich auf. Dabei fletschte er die Zähne, schüttelte aber energisch den Kopf, als Walter ihm helfen wollte. »Was ist?«, keuchte er und steckte die klauenartige Harke in die Tasche. »Kann ich was für dich tun?«

Walter salutierte, sagte ihm, wen er suchte, und der Offizier las das Telegramm mit der Todesnachricht und dem Stempel des Bataillons. »Einen Alfred Urban gibt's hier nicht«, murmelte er. »Das waren alles meine Leute. Haben letzte Woche noch fröhlich gesungen …« Er zog ein silbernes Etui aus der Tasche und ließ es aufschnappen. Schlanke Zigarren lagen darin, und ein Foto klebte am Innendeckel. »Ich will dich ja nicht enttäuschen, aber Angehörige von Bewährungseinheiten kriegen selten ein Grabmal, Junge. Für die sägt man keinen Baum mehr um. Die werden verscharrt, wo sie liegen – wenn überhaupt. Außerdem ist Stuhlweißenburg eine heiß umkämpfte Gegend und der Feind für Friedhofspflege nicht gerade bekannt, oder?«

Er bot ihm eine Zigarre an, und Walter blickte noch

einmal auf das Foto, eine Familie im Garten beim Tee; dann bedankte er sich, drückte die Pforte zu und fuhr weiter. Das Land wurde hügelig, und die Straße war nicht schlecht, über lange Strecken sogar betoniert. Doch warnten ihn Bauern vor russischen Fliegern, und er suchte, wo immer es ging, die Deckung der Wälder oder fuhr über Knüppeldämme querfeldein. Alle hundert Meter standen getarnte Panzerspähwagen zwischen den Bäumen, und die Männer von den Mess- und Wettertrupps begutachteten ihn durch ihre Ferngläser. Kiefernzweige am Helm und einen Telefonhörer am Ohr, zeigte einer in seine Fahrtrichtung und strich sich warnend mit dem Daumen über den Hals. Walter grinste und winkte ihm zu.

Mehrere Grabfelder suchte er noch ab an dem Tag, wobei er der Front immer näher kam. Das letzte, auf das er vor dem Sonnenuntergang stieß, lag an der Westseite eines Hügels, hinter dem man die Feuerblitze der Hauptkampflinie sehen konnte, den schwarzen Rauch. Der Zaun war umgesunken, das Areal von Panzerketten zerwühlt, und Bomben und Granateinschläge hatten das Innere der Gräber hervorgekehrt, Rippen, verklebtes Haar, ein Zähneblecken in der Erde. Rostfarbenes Wasser stand in den Trichtern, und Walter hielt sich sein Käppi vor Nase und Mund, während er die Reihen abschritt, um die Schilder zu lesen, die es noch gab. Die Abendsonne füllte die herumliegenden Helme mit Schatten. Der Wind wurde kühler und bewegte die durchscheinende Haut, die sich von den Birkenkreuzen schälte, und auch hier fand er den Namen des Vaters nicht.

Wieder auf der Straße, gewalztem Schotter, fuhr er noch eine Weile über den Hügelkamm, der sich entlang der Front hinzog. Wegen der vielen Panzerwracks – auf manchen Schutzblechen leuchtete der weiße Schlüssel, das taktische Zeichen der Leibstandarte – musste er jedoch immer wieder auf die verkrauteten Felder ausweichen. Die BMW kam ins Schlingern auf dem lockeren Boden, und schließlich wurde es zu dunkel. Er sah nicht mehr genug in dem Lichtstrich, der aus seiner verhüllten Lampe drang, schob die Maschine in den Graben.

Während über ihm die Nachtbomber dröhnten, klaubte er zwei Hände voll Reisig zusammen und entfachte ein Feuer unter der Ladefläche eines zerschossenen Hanomags, um sich etwas Schmalzfleisch aufzuwärmen. Mit einem Kanten Brot löffelte er es aus der Dose und blickte kauend durch das Fernglas zur Kampflinie, wo Nebelfetzen über die Wiesen strichen und hier und da Fahrzeuge brannten. Granatwerfer oder schwere Geschütze waren nicht mehr zu hören. Manchmal hallte eine Maschinengewehrsalve herauf, oder eine Leuchtkugel stieg in den Himmel und sank rauchend ins Tal: rotes, grünes oder weißes Licht, in dem ein Flusslauf glänzte und sich die Schatten vereinzelter Bäume drehten. Nirgendwo ein Soldat.

Es wurde kälter, er ahnte Regen, und nachdem er noch einen Apfel gegessen hatte, rupfte er trockenes Gras vom Feld, häufte es unter dem Motorblock auf und breitete seine Plane darüber. Den Rucksack als Kissen, konnte er so geschützt vor Tieffliegern schlafen, und er knöpfte den Mantel zu und wickelte sich in seine Decken. Rauch wehte den Hügel herauf, doch die Front war nun ruhig, sah man von der Musik ab, mit der die Russen auf der anderen Flussseite die Überläufer lockten, »Heimat, deine Sterne« oder »Lili Marleen«.

Sie wurde verweht, und er mochte schon eine Weile geschlafen haben, als er Tritte auf der Straße hörte. Den Atem anhaltend, wusste er momentlang nicht, ob es das Steppengras war, das da rauschte, oder das eigene Blut in den Ohren. Vorsichtig zog er sich den Karabiner vor die Brust, drückte die Sicherung mit dem Daumen um und hielt den kleinen Finger auf das Holz, damit das Klicken ihn nicht verriet. Er drehte den Kopf, doch obwohl nun Mondlicht durch die Wolken schien, konnte er nichts und niemanden erkennen zwischen den Wracks; schon glaubte er, geträumt zu haben.

Dann aber klangen die Schritte vernehmlicher, ein behutsames Schreiten oder Anschleichen auf dem Schotter, und sein Puls bewegte die Blechmarke am Hals. »Koom, Kamerat! Koom! Schocklat und Schnaaaps!«, krächzte es aus den Lautsprechern im Tal, erneut wurde eine Signalpatrone gezündet, und endlich sah er die Beine direkt neben sich, die schwarz glänzenden, bei jedem Auftreten leicht sich spreizenden Paarhufe eines Rehbocks, dessen Schatten mit dem kurzen Gehörn schräg über die Straße fiel und der ihn im selben Augenblick zu wittern schien. Er schnaufte rau, es hörte sich wie ein Röcheln an, und Dreck hochwirbelnd, kleine Steine, sprang er zur Seite und verschwand im Gebüsch.

Walter atmete erleichtert aus. Er lauschte noch eine Weile in die Nacht, ehe er seinen Karabiner sicherte, trank einen Schluck aus der Feldflasche und schlief wieder ein.

Gegen Morgen trommelten Regentropfen auf die zerschossene Karosserie, das Wasser rieselte aus dem Motorblock, und er zog sich die Zeltplane über den Kopf. Der kühle Wind, in dem sich Zweige knirschend gegeneinanderrieben, roch nach Schwefel und Benzin, im Halbschlaf sagte jemand »Frevel und Berlin«, und schließlich weckte ihn ein vages Zittern, das er zunächst für sein eigenes hielt – bis er das Vibrieren der Erde spürte. Es war noch dunkel, ein tintiger Himmel ohne Tiefe, doch vor dem Streifen Frührot im Osten konnte er die Silhouetten von Truppentransportern und Panzern erkennen, lange Kolonnen, die sich rasch auf ihn zu bewegten.

Fröstelnd kroch er aus seinem Versteck, rollte die Decken zusammen und schob die BMW aus dem Graben. Er wusch sich die Augen mit einer Handvoll Wasser, und putzte die Zähne mit einem Taschentuch, als schon die ersten Fahrzeuge um das nahe gelegene Wäldchen bogen. Nicht nur auf den schweren Lastern, den Spähwagen und den Haubitzen, die sie zogen, auch auf den Gefechtstürmen und den Schürzen der Panzer, einige noch mit weißem Winteranstrich, saßen oder standen Soldaten und klammerten sich fest, wo immer es ging. Schweiß- und Tränenspuren in den schmutzigen Gesichtern, waren viele verwundet, die frischeren Verbände leuchteten im Dämmerlicht, und während einige gierig an ihren Zigaretten zogen und den Himmel nach Jagdbombern absuchten, hielten andere Spieße mit Brotstücken und Kartoffeln an die glühend heißen Auspuffrohre.

Walter startete die BMW. Er hatte nicht viel Raum auf seiner Fahrbahnseite, kam nur im Schritttempo voran; manchmal schwebte das Rad des Beiwagens über dem Graben. Einige Landser, zu denen er hochsah, runzelten die Brauen oder tippten sich an die Stirn, und er hielt an der nächsten Kreuzung, die ein Traktor mit einem Anhänger blockierte. Vergeblich drehte der Fahrer am Starter, der Tank war leer, und alle, die noch Kraft dazu hatten, sprangen von der Ladefläche und liefen über die Straße, um auf den nächsten, ebenfalls überfüllten Wagen zu klettern. Doch nur wenige fanden einen Platz, die Kameraden schlugen mit Stöcken und Krücken auf sie ein, und die Zurückgelassenen fluchten und schrien, blutige Hände griffen ins Leere.

Walter, um dem Stau zu entgehen, wollte auf einen Feldweg biegen, als ein Horch ohne Dach aus der Kolonne scherte und ihm die Richtung verstellte. Auch darin Verwundete, und am Steuer ein Hauptmann der Wehrmacht, der irgendetwas sagte und den er doch nicht verstand in dem Lärm der Motoren, dem Rasseln und Klirren der Panzerketten. Aber da er annahm, dass er ihn nach seinem Ziel gefragt hatte, wies er nach Osten, und der Offizier, eine Staubbrille über dem Mützenschirm, verzog das Gesicht und rief: »Was suchst du denn *da*?!«

Walter reichte ihm den Marschbefehl. »Das Grab meines Vaters!«, antwortete er, und der Mann las das Papier, schüttelte den Kopf. Die Kolonne stand, und einen Moment lang war es ruhiger; Auspuffrauch hüllte sie ein.

»In Stuhlweißenburg ist jetzt der Iwan, Junge. Da findest du nur dein eigenes Grab!«

»Liebe Mutter, ich hoffe, es geht Euch allen gut. Ich bin gesund, auch wenn die feuchte Kälte einem oft zu schaffen macht. Aber jetzt wird es ja langsam Frühling, vieles blüht. Ich sitze hier in Rózsa, deutsch Rosenort, in einem kleinen Postamt, und es ist niemand da. Vielleicht sind die Menschen geflohen, vielleicht haben sie Mittagspause, ich weiß es nicht. Die Heldenfriedhöfe, auf denen ich nach Papas letzter Ruhestätte suche, werden immer größer. Der Russe drückt stark, und die Schlachtflieger schießen auf alles, was sich bewegt, auch auf Flüchtlinge. Wenn Du die Karte umdrehst, siehst Du, wie es hier im Sommer ist, im Frieden. (Den Kurhaus-Turm mußt Du Dir aber wegdenken, der hat einen Volltreffer gekriegt.) Danke für die Geburtstagswünsche und das Päckchen, ich habe mich gefreut. Auf ein Wiedersehen! Dein Sohn«

Tauben kreisten über zerschossenen Schlägen. Einige Dachstühle brannten, Türen und Fenster standen offen, Hausrat und zerfetzte Federbetten lagen vor den Schwellen. Auf allen Straßen Pferde- und Ochsengespanne, hoch beladen mit Matratzen und Möbeln, zwischen denen Kinder saßen, doch die meisten Menschen gingen zu Fuß, wobei sie Karren zogen oder bepackte Fahrräder schoben und ihn ausdrücklich nicht beachteten. Nur ihre Hunde bellten ihn an.

Auch die Herden wurden in Sicherheit gebracht. Staub schwebte über den korkenzieherartig gedrehten Hörnern der Zackelschafe, und das Peitschenknallen der Bauern hallte unter dem Torhaus wider. Alte Gewehre auf dem Rücken, trugen sie Kniebundhosen, weiße Hemden und rote Westen, die Tracht der Ungarndeutschen in dieser Region, und einige hatten sich bereits die Quadratbärtchen unter den Nasen abgenommen. Hell schimmerten die rasierten Stellen in den stoppeligen Gesichtern.

Die Kommandantur der Wehrmacht befand sich im »Hotel Rebmann«, einem Fachwerkhaus am Markt von Kiszémel, deutsch Klauben. Man hatte die Militärfahrzeuge dicht neben die Häuser in Deckung gestellt, doch das Abendlicht färbte die Scheiben rot, und Walter fuhr die BMW unter das eingesunkene Dach eines Schuppens und zog die Zündkerze aus dem Stecker. Dann füllte er seine Flasche am Brunnen und stapfte den Hügel hinter der ausgebrannten Schule hinauf.

Der letzte Friedhof, zu dem er nach einem erneuten Tag vergeblichen Suchens kam, lag am Rand der Weinfelder. Die Reben waren frisch gestutzt, und an den Schnittstellen glänzten ausgetretene Wassertropfen. Sie waren klebrig und schmeckten süß, und während er sich die Finger leckte, las er die Namensschilder an den Kreuzen, von denen es hier nicht mehr viele gab. Wo eine Bombe oder Granate in den Hügel geschlagen war, hatte man die Birkenstöcke dazu benutzt, den knospenden Wein wieder aufzurichten. Die Wege zwischen den Reihen waren mit hebräisch beschrifteten Grabsteinen gepflastert, und auch auf diesem Totenfeld, gelb vor Krokussen, fand er den Namen seines Vaters nicht.

Wieder auf dem Markt, sah er schon von weitem, dass sein Reservekanister fort war, das Halteband pendelte über dem Boden. Gelächter gellte aus der offenen Hoteltür; ein Feldwebel, das Käppi hoch ins schweißnasse Haar geschoben, stolperte über die Schwelle und erbrach sich. Im Flur und im Gastraum des Hauses standen trinkende Soldaten, höhere Dienstgrade meist, und Walter ging um den Erker und suchte eine Hintertür. Wo die schmalen, mit Teer bestrichenen Fenster offen standen, hörte man Klavierspiel und Gesang, ein Grölen, Kreischen, Händeklatschen.

Über eine Holztreppe kam er in die verrauchte Küche. Einfache Soldaten und Blitzmädel saßen an einem langen Tisch und löffelten Suppe. Die Hitze unter der niedrigen Balkendecke war enorm, Kondenswasser tränte von den blauweißen Fliesen, und auch hier schien niemand mehr nüchtern zu sein; die Gesichter glänzten, die Stimmen klangen verwischt. Auf einer Anrichte unzählige Steingutflaschen, deutscher Schnaps, und ein Mann mit einem graumelierten Bart, der Uniform nach Quartiermeister der Wehrmacht, winkte ihn an den Herd. »Eins a Goulaschsuppe vom Rind«, sagte er und füllte einen Teller. »Hau rein, Junge! Im Lager wird's nur Steinchen geben.«

Ein Sanitäter rülpste und machte ihm Platz auf der langen Bank. Er schob ihm Wein und einen Brotkorb hin, und Walter streifte den Mantel ab und setzte sich neben eine Frau. Die Unterarme auf dem Tisch, die Wange auf den Handrücken, schien sie zu schlafen, ein Speichelfaden hing aus dem verzogenen Mund. Breitbeinig saß sie da, den Hintern über den Bankrand gestreckt, den Rock bis zu den Strumpfhalter-Knöpfen hinaufgezogen, und er roch einen Hauch von Kölnisch Wasser und zerriss das weiße Brot, tunkte es in die Suppe.

Die war sämig und scharf, das Fleisch aber zäh, und während er kaute, hörte er der Musik aus dem Nebenraum zu und bemerkte erst nach einer Weile, dass auch die Frau ihn ansah. Ohne den Kopf zu heben, leckte sie sich den Mundwinkel und murmelte: »Schau einer an, schon wieder so 'n Versprechen ... Na, du Ausgekämpfter? Alles hinüber, oder? Die Wagen kommen nicht mehr durch.«

Rötlich blond die Haare und die Wimpern, müde der Blick. Obwohl nur wenig älter als er, vielleicht Mitte zwanzig, hatte sie schon feine Falten unter den Lidern und um die Mundwinkel herum. »Wäre ich bloß zu Hause geblieben, ich blöde Kuh. Melde dich nie zu etwas freiwillig, hat der Opa immer gesagt, im Krieg und im Kino sind die besten Plätze hinten. Vorne flimmert es zu sehr! Aber ich wollte ja in die Welt ...« Sie schob die Unterlippe vor und blies sich eine dünne Strähne aus dem Gesicht, doch sie schwebte zurück; auf den Jochbeinen winzige Sommersprossen. »Na ja, auch das Sterben geht vorbei. – Du kommst mir irgendwie bekannt vor. Waffen-SS? Hab ich dich hier schon mal gesehen?«

Das messingfarbene Emblem an ihrem Ärmel, der Blitz der Fernmeldeeinheit, glitzerte im Kerzenlicht, und Walter schüttelte den Kopf. »Wohl kaum«, sagte er. »Bin nur auf Durchfahrt. Hab ein Grab gesucht, das Grab meines Vaters. – Glaubst du, ich könnte heute Nacht hier schlafen?«

Gähnend richtete sie sich auf, zerrte ihren Rock zurecht und lockerte die Krawatte. »Selbstvertürlich, weiche Betten stehen hier mehr als genug. War schließlich mal ein Hotel. Bei uns haben Berühmtheiten gewohnt, Reichsminister zum Beispiel. Oder die Leander und der Willy Birgel, sehr charmant.« Die Stirn geneigt, sprach sie plötzlich leiser. »Aber wenn du nicht vom anderen Ufer bist, würde ich mir das gut überlegen. Für junge Soldaten ohne Rang gibt es nämlich nur das Zimmer hundertfünfundsiebzig, ein sehr, sehr schwüler Raum. Schlaf wirst du da kaum finden.« Sie drückte ein Knie gegen seins. »Hast du mich verstanden, Mannsbild?«

Walter schloss kurz die Lider und trank vorsichtig aus der Flasche, deren Hals abgeschlagen war. Doch die scharfe Öffnung saugte sich jäh an der Lippe fest, und die Frau schmunzelte. »Ganz schön gierig ... Weißt du übrigens, was ich gerade geträumt hab? Soll ich's dir sagen?«

Er hob die Schultern, und sie zog ein umhäkeltes Tuch aus dem Ärmel. Es duftete wie ihr Parfüm. »In einem wunderschönen Palast war ich eingesetzt, stell dir vor. Überall Gold und Kristall, und ich sollte so eine Karaffe bewachen. Das Elixier für ewiges Leben befand sich darin und wurde von allen angebetet, jeden Sonntag. Das war Staatspflicht. Aber ich habe es zusammen mit meinem Verlobten ausgetrunken, weil ich wollte, dass wir und unsere Liebe nie sterben. Ich meine, das ist witzig, ich bin gar nicht verlobt, es gibt nicht mal einen Freund. Aber der Mann hatte gute Augen, wie der Loibl ... Warte mal kurz, du hast dich geschnitten.«

Sie tupfte ihm etwas Blut von der Oberlippe. »Anschließend hab ich das Fläschchen mit Wasser gefüllt, doch kam man irgendwie dahinter, und wir wurden zum Tod verurteilt, einfach so. Wir standen schon unterm Galgen, die Schlingen am Hals, und ich sagte: Stopp jetzt, aufhören! Denkt mal nach! Wenn diese Flüssigkeit wirklich ewiges Leben schenkt, kann man uns doch nicht umbringen. Das geht gar nicht. Da würde ja jeder sehen, dass alles Lüge war, der ganze Kult nur Opium für's Volk! Dann gäbe es eine Palastrevolution!« Lächelnd kehrte sie die Handflächen vor. »Und was, glaubst du, ist passiert? Man nahm uns die Stricke wieder ab und ließ uns frei!«

Er stieß etwas Luft durch die Nase, schob den Teller weg, und sie lehnte sich an ihn und fuhr mit dem Finger durch den Suppenrest, leckte ihn ab. »Beeindruckend, oder? Wenigstens im Traum bin ich schlau. Kannst du nicht mal den Arm um mich legen?«

Sanft strich er ihr über die Schläfe, und wieder schmiegte sie den Schenkel gegen seinen. Er konnte den Knopf des Strumpfhalters fühlen. Sie griff nach seiner Hand, massierte die feuchte Innenfläche mit dem Daumen, doch in dem Augenblick flog die Tür auf, und ein hemdsärmeliger Offizier, dem die Träger vom Hosenbund hingen, blinzelte in die Runde. Klaviermusik, eine bayrische Polka, von Pfiffen durchgellt, drang mit ihm in den Raum, und er klatschte in die Hände und rief: »Wir brauchen mehr Schnaps, verdammt! Wacholder für den Endsieg!« Schwankend wies er auf Walter und die junge Frau. »Los, los, ihr Turteltauben, schafft ein paar Flaschen an die Front. Aber die ganz großen Kaliber, wenn ich bitten darf! Damit nichts mehr von uns übrig bleibt ...«

Sie verzog das Gesicht. »Ebenfalls schwul!«, zischte sie im Aufstehen, und beide nahmen sie ein paar Kruken von der Anrichte und folgten dem Mann durch den Flur. Alte Jagdwaffen, Geweihe und ausgestopfte Wildschweinköpfe hingen an den Wänden des überfüllten Lokals, das bis in Schulterhöhe mit Kork verkleidet war. Das Wachs unzähliger Kerzen troff von den Leuchtern, riesigen Wagenrädern, die Platte des Ofens glühte, und Walter drängte sich zwischen den Menschen hindurch und stellte die Steinhäger-Flaschen auf die Bank eines verdunkelten Fensters. Maschinenpistolen lagen darauf.

Der Pianist war bis zum Nabel nackt, und auf dem Tisch tanzte eine junge Frau in einem kurzen Unterrock. Eine jener halbmondförmigen Plaketten der Feldgendarmerie vor der Brust, wand sie sich zwischen ausgestreckten Armen, wobei sie Gläser umstieß und auf Teller und Servierplatten trat. Wie die Wirbel flinker Tiere zeichneten sich die Faust- und Fingerknöchel der Soldaten unter dem schwarzen Seidenstoff ab, und als sie den Kopf in den Nacken warf, lachend und weinend zugleich, lief ihr die Wimperntusche ins Ohr. Unter den Hitler- und Szálasi-Bildern an der Rezeption tranken sich Männer den Schnaps aus den Mündern,

griffen einander in die Uniformen. Aus dem Nebenraum, einem Billardzimmer, hörte man die Schreie Ko-
pulierender.

Ein dicker Feldwebel drängte ein paar Tanzende über
den Kreidestrich gut zwei Meter vor dem Ofen. »Die
Nächste!«, rief er. »Die hat Druck! Keine Einsätze
mehr möglich!« Man bildete einen Halbkreis, und eine
ältere, nur mit einem Strumpfgürtel und einem Käppi
bekleidete Frau legte die Arme auf die Schultern zwei-
er Landser, die ihr in die Kniekehlen griffen und die
Beine anhoben. Das Schamhaar, ein breites Dreieck,
wuchs ihr bis an den Nabel, und die schweren, rot und
blau gebissenen Brüste hingen seitlich von den Rippen.
Als sie kurz einmal lachte, konnte man einen Gold-
zahn sehen.

Das Klavier verstummte, und ein paar Sekunden lang
waren fast alle still, eine abwartende Stille, während
die Frau zur Decke blickte und an der Unterlippe nagte, als müsste sie sich konzentrieren – und die einem
Major schon zu lang wurde. Hörbar ließ er Schnaps in
seine Tasse tröpfeln, der Pianist steuerte einen Triller
bei, und endlich schloss sie die Augen und pisste einen hellgelb glitzernden Strahl in hohem Bogen auf die
Platte des Kanonenofens, wo er knallend und zischend
verdampfte. Applaus brach los, Gejohle, Papiergeld
wurde getauscht, und der Geruch nach verbranntem
Harn nahm Walter momentlang den Atem. Er stieß
bitter auf.

Das Hemd schweißnass, drängte sich ein Betrunke-
ner an ihn, lallte ihm etwas ins Ohr, wobei er seine
Muskeln befühlte, und er wand sich weg, nickte dem

Blitzmädel zu und verließ den Raum. Draußen dunkelte es schon, und er atmete auf in der Kälte und ging langsam über den Hof. Zwischen den Müllkübeln lag ein toter Offizier, ein hagerer Mann mit Eichenlaub am Kragen, die Pistole noch im aufgerissenen Mund. Neue Knobelbecher mit einem Wehrmachtsstempel in der hellen Absatzkehle trug er, und während Walter sich den Mantel zuknöpfte, stellte er prüfend einen Fuß daneben. Zu klein.

In den Straßen kein Mensch mehr, kein Hund, und er schob die BMW aus dem Schuppen und schraubte die Zündkerze fest, als die Frau aus dem Haus trat. Die Krawatte mit dem angesteckten Adler wieder korrekt gebunden, die Hände in den Jackentaschen, blickte sie in den Himmel, wo der Abendstern stand. »Du lässt mich also allein?«, fragte sie und lächelte müde, schloss kurz die Lider. Die Gesichtshaut, in der Küche noch alabastern, war jetzt bleich. »Ihr Männer seid doch immer dieselben ... Ich heiße übrigens Reinhild, falls du dich mal erinnern möchtest. Reinhild Lerche. Meine Familie wohnt in Grainbach im Chiemgau. Wir sticken diese Trachtentücher ... Hast du das Grab deines Vaters denn gefunden?«

Von fern war das rhythmische Heulen der Stalinorgeln zu hören, nur gelegentlich unterbrochen vom Krachen deutscher Artillerie. Walter streifte die Handschuhe über und schüttelte den Kopf, und nachdem er sich auf den Gummisitz geschwungen hatte, trat sie näher. Ihre milchblauen Augen waren klar, ein wacher Blick, und sie beugte sich herab, küsste ihm die Schläfe. Dabei ließ sie die Hände in den Taschen und sagte dicht an seinem Ohr: »Bleib übrig, hörst du.« Er nickte, wünschte ihr dasselbe, ein heiseres »Du auch!«, und startete die Maschine.

Die Nacht verbrachte er in einer fensterlosen Hütte am Rand der Weinfelder, auf einer Pritsche aus Bast. Die Tür ließ sich von innen verriegeln, und durch die Löcher im Dach konnte er den Himmel sehen, weiß beschienene Wolkenränder. Im Norden verklang das Schreien wilder Gänse. Irgendwo röhrte ein Motor, und kurz darauf war es wieder still, eine Stille, die noch zunahm, wenn man sie bemerkte.

Kiepen aus Weidenzweigen hingen an der Wand über ihm, und er pulte die zähen Traubenreste aus dem Geflecht und kaute darauf herum, bis sie keine Süße und auch nichts Saures mehr hergaben. Dann spuckte er sie aus, verschränkte die Hände im Nacken und blickte auf die pelzigen Salpeter-Ausblühungen an der Wand, die im Mondschein wie Bilder von Menschen hervortraten. Sie glichen denen, die er manchmal bei geschlossenen Augen sah, eine rasch über die Netzhaut gleitende Abfolge von Gesichtern, ihren Schemen nur, alle bekannt und fremd zugleich.

Nachdem er ein paar Stunden geschlafen hatte, machte er sich früh, noch im Dunkeln, wieder auf den Weg. Die Luft war erfüllt vom Dröhnen russischer Bomber, die in großer Höhe gen Westen flogen, und hin und wieder unterquerte eine Iljuschin die Verbände und suchte nach Zielen im Tiefland. Doch Walter, der welkes Gestrüpp in den Beiwagen gestopft und sich eine Strohmatte auf den Rücken gebunden hatte, kam ohne Beschuss durch die Steppe und erreichte am späten Vormittag Győr, wo kaum noch ein Haus unbeschädigt war und sogar die Kirchtürme rauchten.

Auch hier begann die Flucht, Hand- und Pferdekarren wurden mit Hausrat beladen, und langsam fuhr er auf einer wackeligen Schwimmbrücke über die Raab, die nach Verwesung stank. In der graugrünen Strömung trieben Leichen in deutschen und russischen Uniformen, drehten sich in den Wirbeln, verschwanden unter den Planken und tauchten auf der anderen Seite wieder auf. Einige freilich, starr und aufgequollen, blieben auch hängen und verkeilten sich mit den Nachkommenden zwischen den Fässern und Booten, was die nötige Beweglichkeit der ganzen Konstruktion gefährdete: Sogleich kamen Kinder mit langen Stangen gerannt und stocherten die Schwimmkörper wieder frei.

Regen fiel, doch hinter dem Wasserschleier schien die Sonne. Blut in den Gesichtern, lagen Tote auch an der Straße nach Abda, und als er um das Stallgebäude eines Hofes bog, marschierte plötzlich eine lange Reihe ausgemergelter Männer in grauem Drillich vor ihm her. Es waren jüdische Zwangsarbeiter aus den Minen von Bor, wie ihm ein Wachmann auf dem Fahrrad am Ende des Zuges sagte, ein Ungarndeutscher mit einem »Besenstiel« in der Hand, der alten Mauser. »Heim ins Reich bringen wir die. Wer schlappmacht, hat Pech. Verstehe nicht, warum man denen das noch antut.« Die Unterarme auf dem Lenker, spuckte er etwas Tabaksaft aus; zäh tropfte er von der Lampe. »Wieso man sie nicht gleich umlegt, meine ich. Was will man aus den Hungerhaken noch rausholen ... Hast du Schnaps?«

An seinem Gürtel hing eine rostige Kneifzange, und Walter verneinte und fuhr langsam an dem Zug vorbei. Die Männer, mit Sackfetzen und Decken behängt, hielten die stoppeligen Köpfe gesenkt und nahmen ihn wohl kaum wahr. In Fußlappen oder auch barfuß um Gleichschritt bemüht, starrten sie apathisch vor sich hin und schraken höchstens zusammen – bei manchen war es nur ein Zucken der Lider –, wenn irgendwo in der endlosen Reihe das seltsam tonlose, fast klatschende Geräusch einer dicht aufgesetzten Pistole erklang. Dann strafften sich die Rücken und alle marschierten wieder etwas schneller.

Kurz vor einer beschilderten Gabelung langte Walter in den Beiwagen und reichte dem nächstbesten Mann die Dose Streichwurst, die er noch besaß. Der zarte, mit zwei verschieden langen Hosen bekleidete Brillenträger ließ sie sofort unter seiner Jacke verschwinden und nickte kaum merklich, wobei er weder ihn ansah noch den soeben Erschossenen am Feldrand, der zitterte und krampfte und die nackten Fersen in die Erde stieß, während ihm ein Milizionär die Kiefer auseinanderdrückte. Auch an dessen Gürtel, an einer goldenen Uhrkette, hing eine Zange.

Laut Wegweiser war Abda noch drei Kilometer entfernt, doch man hörte schon Kirchenglocken, das Mittagsläuten. Schwere Flak-Batterien sicherten den Sitz der Nachschubtruppe, einen großen Vierkanthof, und er brachte das Krad zum Schirrmeister und hängte sein Gepäck in die Fahrerstube neben den Ställen. Das Büro der Kommandantur befand sich im Parterre des schlossähnlichen Wohnhauses, das erfüllt war vom Geklapper der Schreibmaschinen, und der sichtlich übernächtigte Troche, Adjutant des Hauptsturmführers, musterte seinen Marschbefehl. »Na schau an«, sagte er, »es kommen sogar noch Leute zurück ... Spazierfahrt beendet? War's Wetter schön?« Er schob sich eine Zigarette zwischen die Lippen und ging zum Telefon. »Essen fassen und bereithalten!«

Walter schloss die Tür, folgte den Schildern. In einem Saal voller Gemälde und Spiegel lagen Verletzte, die meisten von ihnen auf Stroh, und in der Küche wurde längst nicht mehr gekocht; Ärzte und Sanitäter in schmutzigen Kitteln umstanden den Tisch, vom Wundbrand rot und blau verfärbte Arme und Beine ragten aus der Spüle. Eine Krankenschwester schüttelte den Kopf und wies auf die offene Scheune hinter dem Hof. In dem Lager, in dem neue Motoren, Panzertürme und Käfige voller Brieftauben längs der Wände gestapelt waren, stand auch eine Goulaschkanone.

Sie hatte eine Deichsel, das abgeschirrte Pferd döste neben einer Raufe in der Ecke, und Walter füllte einen Blechteller und setzte sich zu den Fahrern, die am Ende eines langen Tisches Karten spielten. »Ah, da ist er ja wieder!«, sagte Jörn. »Jetzt sind wir komplett. Hast du dein Bild gemacht?« Und als er verneinte und ihm die Kamera hinschob: »Aber ein paar Zackelschafe hast du mir fotografiert?«

Er war Student der Tiermedizin in Hannover, und Walter nickte und aß einen Löffel von der Kartoffelsuppe.

Leer die Kragenspiegel der drei anderen Männer, die Wein aus geschliffenen Gläsern tranken, und Jörn stellte sie ihm vor: Friedhelm und Hermann, Abiturienten aus München, und Florian, Gerberlehrling aus Tulln an der Donau, lagen mit ihnen auf der Stube, und obwohl sie alle ähnlich jung waren, nannte er sie Bubis; sie trugen neue Käppis, und die hellblauen Wimpel der Versorgungseinheit an ihren Ärmeln waren noch sauber. Trotz der Mittagsstunde angetrunken, stritten sie über die Spielregeln und knallten die Karten so heftig auf den Tisch, dass die Streichhölzer, um die es ging, von der Kante hüpften.

Auch Jörn war nicht mehr nüchtern. Er rutschte näher an ihn heran, zupfte ein Haar aus seiner Suppe und sagte: »Die verpesten nicht nur alles mit ihrem Gefurze, die spielen auch wie die Kosaken, ich hab keine Chance. Übrigens hat's den August erwischt, den Klander. Der wollte so einen Glitzerstein aufheben, unser Geologe, aber leider lag da 'ne Mine drunter. Jetzt muss er sich nie mehr die Hände waschen. – Dass Fiete hier ist, weißt du?«

Walter ließ den Löffel, den er bereits am Mund hatte, wieder sinken und deutete mit einer Kopfbewegung auf die Straße. »Du meinst drüben in Győr, im Lazarett?«

Der andere fuhr sich mit der Zunge über die Zähne, schloss einmal kurz die Augen. »Hier ist er, sagte ich. Hier im Keller, hinter Schloss und Riegel. Das dumme Arschloch ...«

»Aber wieso?«, fragte Walter. »Wie kann das sein? Er ist doch verletzt.«

Die Wolken trieben auseinander, grelles Licht fiel durch das Scheunentor und ließ die winzigen Blatternnarben auf Jörns Stirn scheinbar verschwinden. Doch seine Miene blieb dunkel und keine Wimper zuckte, während er mit einem Schweigen antwortete, das eindringlicher war, als jeder Satz es sein konnte. Erst nachdem er einen Schluck getrunken hatte, wiederholte er leiser: »Dieser gottverdammte Idiot. So kurz vor Schluss ... Die Amis sind am Rhein!«

Walter, dem Schweiß ausbrach und das Durchatmen schwerfiel, öffnete den Jackenkragen. Dabei starrte er das Pferd an, ein altes Tier mit spitz vorstehenden Beckenknochen und hängendem Rücken, und der andere stellte sein Glas vor ihn hin und wendete sich wieder dem Spiel zu. Neue Karten nahm er entgegen, steckte sie um. »Ich dachte auch erst, ich hör nicht recht«, murmelte er. »Aber jetzt ist natürlich zappenduster. Da kann ihm keiner mehr helfen.«

Walter legte den Löffel weg, und Friedhelm, ein schmaler Junge in einer zu großen Uniform, hob den Blick gerade so weit, dass er unter den Brauen hervorstach. Der Rotweinrand auf seiner Lippe sah aus wie altes Blut. »Und rate mal«, fragte er, »wer deinem tapferen Freund die letzte Tür aufstoßen darf?« Im Sitzen schwankend, zog er eine Karte aus seinem Fächer und wies damit in die Runde. »Wir alle hier, unsere Stube. Also auch du. – Morgen früh ist er dran.«

Er warf ein As auf den Tisch, die anderen konterten, und Walter kippte die Kartoffelsuppe vor das Pferd. Der Bauch und die Beine des Tiers waren schlammverkrustet, die Mähne verfilzt, aber wo Joch und Zugriemen gesessen hatten, glänzte das Fell so seidig braun wie das von Jahresfohlen in der Sonne. Und schließlich lachte er auf, ein trockener Laut, der im Hals kratzte, stieg über die Bank und sagte: »Jetzt reicht's aber, ihr Spinner! Ihr seid ja sturzbesoffen! Fast hätt' ich euer Gequatsche geglaubt!« Er sah Jörn an. »Heute ist der erste April, oder?«

Das Tier stampfte auf, der Lehmboden unter dem Huf klang hohl, doch der Stubenälteste antwortete nicht mehr, oder nur mit einem traurigen Grinsen. Er schob ein paar Zündhölzer in die Mitte, fragte nach der Reihenfolge und spielte ein neues Blatt, das offenbar nichts taugte. Jedenfalls stöhnten die Schüler, und der Gerberlehrling, ein lachender Blondschopf, die Hände blau verfärbt, strich den Gewinn ein und sagte gedehnt, mit österreichischem Akzent: »Der neunundzwanzigste März ist heuer. Nimm dich halt zusammen. Was sollen wir denn machen, Befehl ist Befehl. Wenn wir ihn verweigern, stellt man uns auch an die Wand. Aber ich sterb nicht für so einen Trauminet. Ich hab ein Mädel zu Haus!«

In der Luft das Bellen von Geschützen. Ein Lastensegler mit stumpfer Schnauze steuerte den Acker an, Rauch stieg aus dem Heck. Hinter den Scheiben voller Fingerabdrücke konnte man die blassen Gesichter der beiden Hitlerjungen erkennen, die offenbar nicht zum ersten Mal flogen. Ruhig blieben sie auf Kurs, schon berührten die Kufen die Erde. Doch die Iljuschin, die

den Gleiter angeschossen hatte, machte trotz der Ab-
wehrkanonen kehrt und feuerte erneut. Nun traf sie
die Ruder und zerfetzte einen Sperrholzflügel, woraufhin der Rumpf zur Seite kippte und die Ladung nach
einem gespenstischen Moment der Stille – ein Junge
versuchte, sich aus der Seitenluke zu zwängen – in einer hohen Flamme explodierte.

Die Druckwelle zerschlug die Fenster im Hof, und
während seine Kameraden mit Decken, Schaufeln und
Eimern über den Acker liefen, ging Walter unter die
Arkaden und stieg die Kellertreppe hinab. Mit jeder
Stufe klangen seine Absätze lauter.

Der Gang voll rostiger Blechtüren war nur schwach
beleuchtet. Der Sturmmann auf dem Hocker neben
der Heizspirale zerschnitt einen Apfel, und als er
grüßte und seine Bitte vortrug, schüttelte er den Kopf
und sagte: »Das kannst du vergessen, Schütze, jedenfalls ohne Erlaubnis. Hinter diesen Türen sitzen keine
Freunde, von niemandem.« Er hob das Kinn, taxierte
ihn kalt. »Aber wenn du zärtliche Gefühle für einen
Deserteur hast, sollten wir vielleicht mal zum Chef gehen, oder? Von wegen Manneszucht und so.«

Ein leises Klingeln über ihnen. Von den grauen Flügeln eines Falters, der die Lampe umflatterte, fiel feiner
Staub, und der Wächter steckte das Bajonett auf sein
Gewehr zurück. »Weißt du, was wir mit den Partisanen in den Bergen gemacht haben, diesem Tito-Ge-
socks? Alle Rücken an Brust hintereinander aufgestellt
und gewettet, wie viele umfallen, wenn wir dem ersten
ins Herz oder in den Hals schießen. Da spart man Munition, kann ein paar Mark gewinnen und hat seinen

Spaß. – So sollte man mit den Kameradenschweinen hier umgehen. Und jetzt zisch ab!«

Er spuckte etwas Balg aus, und Walter stieg die Treppe wieder hinauf, hielt sich hinter Reifenstapeln und Hafersäcken und verließ den Hof durch ein Seitentor. Tiefgrau jetzt der Himmel, und Wind strich zischelnd über die Frühsaat hin. Die Hitze des brennenden Fliegers im Nacken, blickte er in die Kellerfenster am Feldrand, eine lange Reihe, alle vergittert. Die Einschnitte der Stahlbänder waren abgebogen wie Dornen.

In einem der tiefen, vom Feuerschein erleuchteten Räume, in dem sich gelbgrüne und violette Rüben in Boxen bis unters Gewölbe häuften, saßen zwei Soldaten auf dem Estrich. Sie trugen keine Stiefel, nur Fußlappen, und hielten die Köpfe auch gesenkt, als sein Schatten über sie fiel. An den Kragenspiegeln schimmerten die aufgestickten Säbel der Division Handschar, bosnischen Muslimen. Die Feze mit den SS-Totenköpfen lagen neben ihnen, und er pfiff durch die Zähne.

Ein Bärtiger mit dick geschwollenen Lidern sah hoch. Seine Fingernägel waren schwarz und schartig, die Knöchel zerschrammt, und als er ihn leise nach Fiete fragte, schüttelte der Mann den Kopf und murmelte etwas Unverständliches. Kaum aber kniete Walter sich auf den Boden und drückte die Stirn gegen das Gitter, um tiefer in den Raum zu blicken, wurde ein Husten laut in der dunklen Ecke, ein Klappern wie von hölzernen Schuhen. Und plötzlich stand der Freund unterm Fenster, bog den Kopf in den Nacken und sagte: »Bist du's?«

Der Stimme nach war er stark erkältet. Statt der Uniform trug er ein ehemals weißes, hier und da blutfleckiges Bauernhemd mit Knoten als Knöpfen, eine Weste aus Schaffell und blaue Drillichhosen. Das Gesicht wirkte noch ausgezehrter als vor Tagen, die Wangenknochen standen kantig hervor; in den Augen ein fiebriger Glanz. Doch der Arm hing nicht mehr in der Schlinge.

»Menschenskind, was ist denn mit dir los!«, zischte Walter und blickte sich um. Ein Wachmann war aus dem Tor getreten und sah den Löscharbeiten zu. »Hast du den Verstand verloren? Wieso bist du nicht im Lazarett geblieben?«

Doch Fiete winkte ab und hustete erneut, wobei er sich ins Hemd griff und eine Hand auf das Schlüsselbein legte, den schmutzigen Mull. Er spuckte etwas Eiter aus und sank auf einen Hackklotz, und als er die Beine übereinanderschlug, rutschte ihm ein Holzschuh vom Fuß. »Wieso, warum ... Du stellst vielleicht Fragen! Wollte eben nicht mehr an die Front, ganz einfach.«

Schweiß rann ihm über die Schläfen, und gleichzeitig durchfuhren ihn Kälteschauer. Er zerrieb ein paar Läuseeier zwischen den Fingernägeln, wobei seine Hände zitterten. »Die hatten schon einen Transport zusammengestellt. Was noch eben krauchen konnte, sollte wieder kämpfen, an vorderster Linie, und dieses Mal würde ich draufgehen, das wusste ich. Man kommt nicht zweimal mit einem Splitter davon. Hast du vielleicht was zu schmöken, Ata?«

Walter verneinte, ein kurzes Schließen der Lider, und Fiete zog die Schultern hoch, verschränkte die Arme vor der Brust. »Den Polarstern immer über dem rechten Ohr, so findet man nach Westen, hatte ich mal irgendwo gelesen. Und als es dunkel wurde, bin ich eben aus dem Fenster. Allerdings gab's in der Nacht gar keine Sterne, alles bewölkt, und ich stapfte stundenlang durch die stockfinstere Wildnis, lag immer wieder im Dreck. Bis ich doch einen Schimmer vor mir sah, zwei silberne Monde. Und weißt du, was der eine Kettenhund zu dem anderen sagt?« Luft durch die Zahnritzen ziehend, kratzte er sich in der Tasche. »Schon wieder so ein Romantiker.«

Er blickte hoch, und einen Moment lang hellten sich die Augen auf. »Apropos ... Die Ortrud hat tatsächlich unsere Ferntrauung beantragt, stell dir vor. Auf dem Standesamt in Schleswig. Wer weiß, vielleicht sind wir ja schon verheiratet. Hamburg wäre mir zwar lieber gewesen, aber egal, bin eh nicht dabei.« Er lächelte matt, zwinkerte ihm zu. »Sie ist übrigens schwanger.«

Der schwarze Rauch des Feuers strich herüber. Neue Schauer durchfuhren ihn, die Zähne schlugen aufeinander, und Walter ließ das Gitter los. Es hatte zu regnen begonnen, der nasse Rost klebte an seinen Händen. »Also gut, hör zu, wir müssen was machen. Ich spreche mit dem Hauptsturmführer«, sagte er und stand auf. »Ich geh gleich hin. Du warst nicht zurechnungsfähig, fertig. Veronal, Pervitin oder Alkohol. Oder alles zusammen, wegen der Schmerzen. Die werden dich nicht einfach an die Wand stellen. Man kann einen Verwundeten nicht abknallen, da muss es Gesetze geben. Ich meine, wir sind Soldaten, wir haben eine

Ehre, das sagen die doch immer, oder? Das steht auf unserem Koppelschloss.«

Wieder sah er sich um. Der Wachmann trank einen Schluck aus der Feldflasche, und rasch wand er sich aus seinem Mantel, stopfte ihn durch das Gitter. »Nimm den so lange, es wird kühl. Ich besorg dir noch Decken.«

Fiete reckte sich hoch. »Danke«, stöhnte er und befühlte den Stoff, die gewalkte Wolle, eine Spezialanfertigung für Fahrer; das Innenfutter wurde selten nass. »Etwas Schwefelsalbe könnte ich auch gebrauchen, gegen das Jucken. Aber vor allen Dingen Tabak!« Dann wickelte er sich in den Mantel, sank wieder auf den Klotz und murmelte: »Na ja, was solls. Hätt' eh nicht gewusst, welcher Stern der richtige ist.«

Walter nickte ihm zu. Die Dachrinnen über ihm trieften. Vorhänge wehten aus den zerschlagenen Fenstern des Gebäudes, der Lastensegler war fast gelöscht. Einige Soldaten schaufelten Erde in die verbliebene Glut, andere schleppten Kisten der geretteten Ladung davon, Gewehre vermutlich, und schwarz verkohlt und rauchend im Regen lagen die Leichen der beiden Hitlerjungen auf der Frühsaat. Krähen hockten in den Bäumen.

Die Aschenbecher unter den Tischlampen waren überfüllt, und wenn das Klappern der Schreibmaschinen kurz einmal aussetzte, hörte man die raschen Schritte der Schwestern und das Stöhnen der Verletzten im

Spiegelsaal. Der Adjutant des Hauptsturmführers zog ein paar grüne Fähnchen aus der Wandkarte, um sie ein Stück weiter nach Westen zu versetzen, und blickte ihn aus den Lidwinkeln an. »Wieso stehen Sie hier ohne Haltung, Schütze? Was gibt's?«

Walter drückte den Rücken durch. Mit einer Kopfbewegung wies er auf die bunt verglaste Flügeltür vor dem Büro des Kommandanten; die Klinke war ein Elfenbein-Fisch, der aussah, als hätte er Schuppen aus schmutzigen Fingernägeln. »Ich möchte Herrn Hauptsturmführer Greiff sprechen, bitte. In einer persönlichen Angelegenheit.«

»Oho!«, machte Troche, selbst ein Unterscharführer, ein hagerer Mann mit zernarbtem Gesicht. »Persönliche Angelegenheit … Da bin ich aber gespannt. Was darf's denn diesmal sein? Eine Alpenrundfahrt? Badeurlaub an der Adria?« Unwirsch schlug er das Einsatzbuch auf, die letzten Seiten, strich etwas durch und murmelte: »Ihnen geht's wohl zu gut, Mann! Sie nehmen sich jetzt einen Blitz, fahren nach Győr und holen die restlichen Medikamente aus dem Lazarett, gegen Quittung. In zwei Stunden will ich Sie wiedersehen, tot oder lebendig. Und wegtreten!«

Er spuckte ein zerkautes Zündholz auf den Boden und drehte an der Telefonkurbel; doch Walter blieb stehen. Den Blick geneigt, verschränkte er die Finger auf dem Rücken und beharrte: »Bitte, ich möchte den Hauptsturmführer sprechen. Es ist dringend. Ich habe mal seinem Sohn geholfen, und er hat mir versichert, dass ich mich jederzeit an ihn wenden kann. Um einen Kameraden geht es, nicht um mich!«

Aber der Offizier bedeutete ihm, still zu sein. Er versetzte zwei rote Fähnchen und gab ein paar Koordinaten durch, wobei er laut gegen den Geschützlärm ansprach, das Heulen und Prasseln, das aus dem Hörer drang. Sein Sekretär, Ärmelschoner über der Uniform, hob den Kopf und wies auf den Text, den er gerade tippte. »Der stramme Greiff ist gestern in die Wolken gefahren«, sagte er. »Zusammen mit der letzten Brücke. Vielleicht findest du ja noch was am Ufer, einen Absatz oder ein Ohr oder so. Dem kannst du dein Anliegen flüstern.«

Er verzog den Mund, ein galliges Grinsen, und Walter drehte sich um und blickte in den Lazarettsaal, wo eine Krankenschwester auf dem Boden kniete und einem Gestorbenen die Verbände abnahm, um sie sogleich für einen Lebenden zu verwenden. Er zögerte, starrte einen Moment lang auf seine Stiefelspitzen, die gezackten Beschläge, an denen noch Erde klebte, und schließlich atmete er tief, griff nach der Elfenbeinklinke und stand auch schon – anklopfen und eintreten war eins – im Zimmer des Kommandanten.

Es war ein Salon mit weinroten Stofftapeten und blassen Fresken an der Decke, und das zweifarbige Würfelparkett gab ihm mehr Tiefe, als er hatte. Eine Art Sofa mit nur einer Lehne, ein großer alter Globus, Regale voller Kartenrollen und Akten und ein Schreibtisch standen darin. Die Innenläden, mit Girlanden bemalt, waren geschlossen, und der Offizier, der im Schein der Lampe saß, hob nicht den Kopf. Er blätterte in einem Buch und murmelte: »Schon fertig?«

Geflochtene Achselstücke trug er, die Kragenspiegel

waren mit Silberlitze eingefasst, und einer der vier Sterne darauf glänzte neu: ein Sturmbannführer, ein dicklicher Mann mit lichtem Blondhaar und einer Hornbrille, und erst als Walter die Hacken zusammenschlug und salutierte, sah er auf. Schlaff die breiten Lippen, ein gelangweilter Mund. »Nanu!«, sagte er. »Wer hat Sie denn hier reingelassen?« Dem Schild auf dem Tisch nach hieß er Domberg, und das schlecht rasierte Doppelkinn wackelte mit, als er den Kopf schüttelte. »Sind Sie in meiner Kompanie? Oder wollen Sie mich erschießen?«

Seltsam dünn klang das und scheinbar defensiv; doch in Wahrheit hatte er die Stimme eines Mannes, der es gewohnt war, dass man gerade auf seine leisen Äußerungen hörte, und Walter musste lächeln. »Erschießen? Wieso? Trag doch gar keine Waffe.« Aber dann räusperte er sich, nannte seinen Namen, den Rang und die Zugnummer und sagte: »Ich komme wegen einem Kameraden. Er sitzt im Rübenkeller.«

Man hörte die Verwundeten stöhnen, und der andere nickte und blätterte weiter in dem Buch, einer großen Lederbibel voll handgemalter Initialen und goldener Heiligenscheine. »Nach wegen immer Genitiv«, sagte er, griff in die Schublade und steckte sich eine Zigarette an. »Wegen eines Kameraden kommen Sie. Welche Schulbildung?«

Er stellte sein Triplex-Feuerzeug vor sich hin, und Walter, der einen Moment lang die Haltung vergaß, zuckte mit den Achseln. »Wer jetzt, ich? Na ja, normal«, antwortete er. »Horst-Wessel-Volksschule, Essen-Borbeck. Ich komme wegen Fiete Caroli, Sturmbannführer. Friedrich Caroli, wollte ich sagen. Er soll morgen hingerichtet werden, und ich möchte Sie gehorsamst bitten ...«

Der Offizier hob eine Hand. Der zartblaue Rauch, der über den Tisch wölkte, duftete im ersten Moment wie Parfüm, süß und herb zugleich. »Volksschule mag ja normal sein«, sagte er. »Für manche reicht's ... Es ist aber zu wenig, Junge. Hören Sie sich doch an: gehorsamst! So ein Wort gibt es gar nicht in der deutschen Sprache. Man ist gehorsam, und darin sind – besonders für einen Soldaten – alle Steigerungen enthalten, oder man ist es nicht. Lebendiger als sein Mitmensch mag wohl einer sein, aber kein Erschossener ist toter als der andere, verstehen Sie?«

Walter nickte zögernd und sagte: »Jawohl. Entschuldigung. Ich möchte Sie nur fragen ...«

»Nein!«, rief der Vorgesetzte und drehte den Korken aus einer Thermoskanne, verbeultes Blech. »Sie bleiben gefälligst beim Thema, Schütze! Wie können Sie in meiner Kompanie sein, wenn Sie Schwierigkeiten mit der elementaren Grammatik haben! Was genau ist das eigentlich, ein Genitiv? Oder heißt es womöglich Genius? Oder Genital?« Die Lippen gespitzt, reckte er das Kinn vor; grau die Augen, mit dunklen Pupillen. »Also? Um Antwort wird gebeten.«

Walter, dem warm wurde, musste schlucken. »Na, ein Fall doch«, sagte er heiser und fuhr sich übers Genick. »Der Wessen-Fall, also der zweite. Vorher kommt der Wer- und danach der Wem- und der Wen-Fall.«

Domberg goss Kaffee in eine Tasse mit aufgemalten Rosen, echten Bohnenkaffee, wie es schien, und gab einen Löffel Zucker hinein. »Also bitte, noch ist Deutschland nicht verloren. Und wofür, glauben Sie, ist der gut, dieser zweite Fall? Wozu braucht man so etwas?«

Er rührte um, während er Walter musterte, und zog erneut an der Zigarette, stieß den Rauch sehr langsam durch die Nase. Die Kristalltränen am Rand der Lampe zitterten leise, als ein Panzer oder eine Planierraupe über den Hof fuhr. »Zu gar nichts!«, sagte er endlich und grinste. »Die Sprache kommt auch ohne ihn klar. Denn ob Sie nun schreiben ›die Feigheit von meinem Freund‹ oder ›die Fahnenflucht meines Freundes‹, das ist eigentlich egal, oder? Wir beide wissen ja, was gemeint ist.«

Er hob einen Finger, wölbte die Brauen. »Und doch, und doch ... Er macht etwas mit uns, dieser Genitiv. Er verändert die Haltung. Die Prismen der Geschichte, des Tages letzter Schein – können Sie das hören? Diesen leisen Bronzeton?« Er legte den Finger auf die Daumenkuppe. »Der verfeinert unsere Seelen, junger Mann, und lehrt uns, was geistiger Adel bedeutet. Der Vorsatz, nichts schleifen zu lassen und nicht immer nur den leichtesten Weg zu gehen, das ist der Genitiv! Kapiert?«

Walter nickte, und der Offizier beugte sich über den Tisch und blätterte in der Kladde, die neben seiner Mütze lag. »Also, wie hieß jetzt Ihr Kamerad? Caroli? Friedrich Caroli? Schöner Name, oder? Der den Frieden reicht. Das war dieser Norddeutsche mit den Versen in der Tasche, ich erinnere mich.« Die Augen schmal, blickte er zur Decke hoch und bewegte einen

Moment lang stumm die Lippen. Schließlich hob er einen Arm, wedelte mit der Hand durch den Rauch und deklamierte: »Der Gott hat Muße. / Andern verblieb es, ein Tagwerk zu tun, / Mir, unter dem Fuße / der trauernd geschwätzigen Winde zu ruhn. // Und wenn die uralte Traube, / Die schwarze, wiederkehrt staubig und warm, / Weckt mich immer der Glaube: / Du sollst nicht schluchzen, der Gott wird nicht arm.«

Er lächelte schief, man konnte einen Eckzahn sehen. »Nicht schlecht, dieser Loerke, Ihr Kamerad hat Geschmack. Aber nun, was soll's, er hat sich selbst gerichtet. Da steht nichts mehr in meiner Macht, fürchte ich. Gar nichts.« Hustend schlug er die Kladde zu, löschte die halb gerauchte Zigarette und verschränkte die Finger über dem Bauch. »Unser Führer sagte es ja schon: Ein Soldat kann sterben, doch ein Deserteur muss sterben. Lass dir einen Besuchsschein geben und verabschiede dich, Junge. Bald wird er mehr wissen als wir alle.«

Er wies zur Tür, trank etwas und blätterte erneut in dem illustrierten Band. Der Goldschnitt gleißte wie eine Schneide. Doch Walter rührte sich nicht, und als Domberg ein hauchdünnes Schutzpapier von einem Madonnenbild blies und seltsam gedämpft, wie hinter den Zähnen fragte, was denn noch sei, machte er sogar einen Schritt auf den Tisch zu, nahm seine Mütze ab und sagte: »Bitte, Sturmbannführer – Fiete wollte nicht desertieren, ganz sicher. Ich kenne ihn, wir wohnen unterm selben Dach und arbeiten zusammen, oben am Kaiser-Wilhelm-Kanal. Er ist ein Faxenmacher, denkt keine drei Schritte geradeaus, und als er zu uns kam, konnte er eine Forke nicht von einer Harke unterscheiden. Aber die Tiere mögen ihn, die Kälber lecken ihm die Hände, und das will doch was heißen. Ich meine, er ist ein prima Kerl, ein tapferer Soldat, hat selten schlappgemacht in der Grundausbildung und genauer geschossen als viele, auch als ich. Er ist zart, aber kein Feigling, im Gegenteil; vor Drecksarbeiten hat er sich nie gedrückt …«

Nur schlecht verbarg der Offizier ein Gähnen; das Kinn kräuselte sich, und er verschränkte die Arme vor der Brust und schlug ein Bein übers andere. Schwarz blitzte seine Stiefelspitze hinterm Tisch hervor. »Welche Arbeit genau? Was macht ihr?«

Walter schluckte. »Wir … Wir sind Melker. Also, ich bin es, hab vor kurzem meine Gesellenprüfung gemacht. Fiete lernt noch. Er war früher auf dem Gymnasium. Wir arbeiten auf dem Hof von Generalmajor van Cleef bei Sehestedt und haben …«

»Melker?«, unterbrach ihn der Vorgesetzte. »Was für ein schöner und ehrenwerter Beruf, eigentlich. Komme selbst vom Land, bei Königsberg. Dreihundert Hektar. Hauptsächlich Weizen, aber auch Milchvieh. Unsere Melker waren immer arglose Kerle, braungebrannt, mit herrlichem Bizeps. Man konnte ein Messer darauf fallen lassen, und es federte zurück. Die Mädchen im Heu hatten jedenfalls ihren Spaß mit ihnen, bei all dem Quark, den sie aßen.« Schmunzelnd rieb er sich das Kinn. »Aber genau genommen: Braucht in Zukunft noch jemand Melker? Ist das nicht eine Arbeit von gestern? Demnächst wird die von Maschinen gemacht, oder?«

Er beugte sich zur Seite, aß einen Löffel Zucker aus dem Topf, eine rasche, gierige Bewegung, und erleichtert über den zivilen Ton, schüttelte Walter den Kopf. »Nee, das passiert nicht, Sturmbannführer. Das glaube ich nicht. Man lernt geschlagene drei Jahre, und um einen Euter richtig leer zu kriegen, braucht man nicht nur Kraft, sondern Fingerspitzengefühl. Sonst bleiben Reste in den Zitzen, und alles entzündet sich. Jede Kuh will anders gemolken werden, und wenn man es falsch macht, tritt sie den Eimer um. Und man muss ja noch mehr können: den Bullen zur Färse führen und aufpassen, dass er ihr nicht den Rücken bricht, bei der Entbindung helfen und Krankheiten erkennen und behandeln. Oder auch mal notschlachten oder tote Kälber aus der Mutter schneiden. Und dafür gibt es keine Maschinen.«

Der Offizier verzog einen Mundwinkel, an dem noch ein paar Zuckerkristalle klebten; fast sah es wie ein Lächeln aus. In dem hellen Schildpattgestell der Brille fing sich das Licht und umgab es mit einer rötlichen Linie, doch als er sie abnahm, standen die Augen plötzlich viel enger zusammen und starrten kalt. Feine Fältchen gewitterten auf der Haut darunter, und Walter besann sich, holte Atem und sagte: »Der Fiete, ich meine, der Friedrich Caroli, ist ja verwundet, Sturmbannführer. Er hat einen Splitter abgekriegt und sehr starke Schmerzen, die ihn nicht schlafen lassen, da macht man doch schon mal Quatsch ... Wahrscheinlich hatte er jede Menge Tabletten genommen, mit Alkohol. Bestimmt hat er das, Maß halten konnte der noch nie. Er war benebelt und wollte nur frische Luft schnappen, denke ich. Und plötzlich standen die Feldjäger da.«

Der andere schnalzte leise, goss sich noch einmal Kaffee ein, und Walter neigte den Kopf und beharrte: »Er ist eben achtzehn geworden, Sturmbannführer. Die Eltern sind in Hamburg verbrannt, bei den Angriffen, und seine Liebste hat die Fernheirat beantragt, sie kriegt ein Kind … Ich kenne sie, ein wirklich feines und anständiges Mädchen, die Ortrud, die wird ihn auf Vordermann bringen … Bitte, lassen Sie ihn nicht erschießen!« Er schloss kurz die Augen, wrang sein Käppi und fügte leiser hinzu: »Ich springe auch für ihn ein, wenn Sie wollen. Sie können mich an die Front schicken, dahin, wo er verwendet werden sollte. Trecker kann er fahren, also wird er auch mit einem Krupp oder Borgward klarkommen, und Sie hätten keinen Ausfall hier … Er ist mein Freund, Herr Domberg, ich meine Sturmbannführer, ein wirklich wertvoller Mensch. Er wird alles wiedergutmachen.«

Aus der offenen Thermoskanne stieg Dampf, und der Vorgesetzte starrte auf das Bild in dem Folianten, die blau gewandete Madonna, lesend auf einer Blumenwiese. Als er trank, lief ein Kaffeetropfen die Tasse hinab, blieb aber an ihrem Boden hängen. »Ihr Freund, Ihr lieber Freund …« Er schüttelte den Kopf; die Nasenflügel zuckten. »Wie lange, glauben Sie, möchte ich mir das noch anhören, Schütze? Kommen Sie zu sich! Sie reden allen Ernstes einem Kerl das Wort, der Sie und Ihre Kameraden im Stich lassen wollte? Dem es egal ist, ob der Russe in unsere Heimat marschiert, unsere besten Männer tötet, unsere Frauen schändet und die deutsche Kultur in den Schlamm tritt? Einem Vaterlandsverräter also? Sie stehen hier, um die Schwachherzigkeit zu verteidigen, und sagen mir ernsthaft, dieser Verbrecher sei ein guter Mensch, weil Ihre Kälber ihm die Hände lecken?«

Der Tropfen fiel auf das Buch, das die Madonna im Schoß hielt, was er aber nicht bemerkte, und Walter wollte etwas sagen; doch Domberg hob das Kinn. Er setzte die Brille wieder auf, und nun schien seine Stimme eine Glaskante zu haben. »Hören Sie zu, Urban! Einmal davon abgesehen, dass ich Sie einbuchten könnte für Ihre Parteinahme: Im Krieg kommt es nicht darauf an, was jemand wünscht, fühlt oder denkt, im Krieg zählt allein, wie jemand handelt – das werden Sie doch schon erfahren haben, oder? Und dieser Mann, auf dessen Koppelschloss wie bei uns allen *Meine Ehre heißt Treue* steht, hat das Schlimmste getan, was ein Soldat tun kann: Er war nicht feige vor dem Feind, oh nein! Das ließe sich unter Umständen noch verstehen. Er war feige vor dem Freund! Darüber denken Sie mal nach. Wenn Sie morgen eine Kugel trifft, so vermutlich deswegen, weil Kerle wie er, Gewissenlose wie er die Flinte ins Korn geworfen haben.«

Er blickte auf die Mütze in Walters Hand. »Und jetzt setzen Sie Ihre Eselsfotze auf und machen die Tür von außen zu! Meine Geduld hat Grenzen! Sie und Ihre Stubenkameraden werden ihn morgen früh wie angeordnet füsilieren, und falls Sie sich weigern oder sich einfallen lassen, krank zu sein, können Sie sich gleich mit an die Wand stellen. Ist das klar?!«

Er winkte ihn hinaus, eine Bewegung aus dem Gelenk,

wobei er gegen die Löschwiege neben der Lampe stieß. Der Schatten ihres Griffes, eines kleinen Bronzeadlers, glitt groß über die Tapete, und ohne dass es ihm bewusst war, machte Walter noch einen Schritt auf den Schreibtisch zu. Seine Augen brannten, wurden feucht, und sein Puls pochte ihm derart in den Ohren, dass er selbst kaum hörte, was er durch die zusammengebissenen Zähne sagte. – Doch Domberg, der umgeblättert hatte, zuckte nur mit den Achseln. »Warum, warum …« Seine Stimme war nun wieder weich und defensiv, und er steckte sich eine neue Zigarette an und seufzte mit dem ausströmenden Rauch: »Aus Menschlichkeit, natürlich. Weil du sein Freund bist, wie du sagst. Da wirst du gut zielen, damit er nicht leidet.«

Die Glocke in der Dorfkirche läutete zur Abendmesse, als Walter aus Győr zurückkam. Es regnete immer noch, und nachdem er die Medikamente ausgeladen hatte, nahm er seinen Brotbeutel und lief in den Keller. Auf der Treppe Blut, ein Stiefelprofil in einer getrockneten Lache, bräunliche Kratzspuren am Verputz. Der Wachhabende, ein anderer als am Mittag, reinigte sich die Zähne mit einem Span und stutzte, als er ihm die Besuchserlaubnis hinhielt, eine handschriftliche Zeile. »Sogar mit Stempel«, sagte er und schloss die Blechtür auf. »Vornehm geht die Welt zugrunde!«
Erdig-süß rochen die Rüben, und in dem Lichtfeld, das in die Dunkelheit fiel, schimmerten Fietes Mantelknöpfe. Einer der beiden Feze lag zerdrückt auf dem

Boden, und er hob den Kopf und richtete sich langsam auf von seinem Lager, einem Haufen Stroh. Dabei hielt er sich an der Wand fest und stieß einen Napf um, und der Wachmann drückte die Tür wieder zu und sagte, schon halb hinterm Blech: »Macht's kurz, Kameraden. Zehn Minuten steht auf dem Wisch.«

Der Schlüsselbart knackte im Schloss, und in der jähen Stille wurde das Regengeräusch lauter. Über dem Acker das letzte Tageslicht, und wortlos knüpfte Walter die zusammengerollte Decke vom Koppel, warf sie auf das Stroh. Dann kramte er eine Kerze aus dem Beutel, zündete sie an und öffnete den Weinbrand, den er dem Quartiermeister abgekauft hatte, eine italienische Marke. Seine Hand zitterte, und der Schraubverschluss klickte leise gegen das Glas, während er dem Blick des Freundes auswich, der bangen Frage darin. Stumm sah er zu dem Gitter mit den abgebogenen Dornen hinauf. Zugluft blähte die staubigen Spinnennetze unter der Decke.

Fiete, dem die Brust einsank, schloss kurz die Augen. Mit beiden Händen umfasste er die Flasche und nippte von dem Schnaps. Sie setzten sich auf das Lager, und Walter nahm eine Tafel Schokolade, einen Kanten Brot, etwas Dauerwurst und zwei Schachteln Zigaretten aus dem Beutel, Sondermischung. Auch Schwefelsalbe hatte er aufgetrieben, und während er etwas davon aus der Tube drückte, sah er sich um; niemand sonst befand sich im Raum, dessen Tiefe nur zu erahnen war in dem spärlichen Licht. Die Schatten der Rübenhaufen reichten bis unter das Ziegelgewölbe, wo Moos- und Flechtenfäden aus den Fugen hingen.

»Wo sind die beiden Bosnier«, fragte er leise, doch Fiete, die Flasche zwischen den Knien, machte nur eine unbestimmte Geste. Walter bat ihn, den Kopf zu neigen, und strich die Salbe auf die Kratzstellen zwischen den Stoppeln. Dann knöpfte er ihm Mantel und Hemd auf, hob den gesunden Arm an und begutachtete die Achsel. Zwischen den schweißnassen Haaren klebten unzählige Nissen, kleiner als Sesamkörner, ein Gefühl wie Sand unter den Fingerkuppen, und er zog seinen Kamm aus der Tasche, harkte sie aus, so gut es ging, und massierte auch hier etwas Salbe ein. Sie brannte unter den Fingernägeln.

Durch den Regen waren manchmal Geschütze zu hören, leichte Artillerie auf der anderen Seite der Raab. Die Geräusche wurden immer wieder vom Wind verwischt, und Fiete trank jetzt in größeren Schlucken, wobei ihm etwas Schnaps aus dem Mundwinkel lief und auf das Schlüsselbein tropfte, den verkrusteten Mull. Doch als Walter ihm vorschlug, den zu erneuern – er hatte Verbandsstoff dabei –, schüttelte der Junge nicht einmal den Kopf. Er sah ihn nur stumm von der Seite an, voll bitterer Belustigung, wie es schien, und klopfte eine Zigarette aus dem Päckchen.

Der billige Tabak knisterte über der Flamme, und dem ersten Lungenzug folgte ein Hustenanfall, nach dem er Schleim ausspuckte und auch etwas Blut. Mit glänzenden Augen starrte er die Kerze auf dem Boden an, ihr weißes, von der Zugluft flachgedrücktes Flämmchen, unter dem das Stearin wie Wasser zerging. »Na schön«, sagte er belegt und zog erneut, »ich hab's versucht.« Er leckte sich die gesprungenen Lippen und wiederholte lauter, wie gegen den Regen und die Geschütze draußen: »Wenigstens versucht hab ich es, verdammt! Und das allein zählt, oder?«

In seinen Bronchien schien es zu brodeln, und Walter, zögernd, nickte. Irgendetwas bewegte sich in der Dunkelheit, er kniff die Lider zusammen, um schärfer zu sehen. Über den Rand einer Vorratsbox trippelte eine Ratte, ein schwarzes Tier mit hellem Schwanz, und verkroch sich zwischen den Rüben, als er einen Putzbrocken warf. Hier und da gab es Nagespuren bis in die süße Mitte der Früchte, und er zerknackte ein paar Nissen, die noch an seinen Fingern klebten, und murmelte: »Wer weiß ... Vielleicht sind die Russen ja schneller hier, als man denkt. Womöglich schon morgen früh.«

Das Stearin floss auf den Estrich, und Fiete, die Brauen gerunzelt, schüttelte den Kopf. »Da hätte ich es auch nicht besser; die machen nämlich keinen Unterschied zwischen Freiwilligen und Zwangsrekrutierten, Ata. Die erschießen jeden SSler sofort, hast du das noch nicht gehört?«

Trinkend starrte er auf seine Bauernschuhe. Das Holz war rissig und an den Knöcheln mit Leder gepolstert, und er stieß die Spitzen gegeneinander und stöhnte: »Mann, was hab ich hier eigentlich verloren. Ich meine, wenn ich den Hitler gewählt hätte, wie die meisten ... Aber ich wollte nicht in den Schlamassel, genauso wenig wie du. Ich habe keine Feinde, jedenfalls keine, die ich umbringen möchte. Das ist der Krieg von Zynikern, die an gar nichts glauben, außer an das Recht des Stärkeren. Dabei sind's nur Kleingeister und

Schwächlinge, ich hab's im Feld erlebt. Treten nach unten, buckeln nach oben und massakrieren Frauen und Kinder.« Zigarette im Mund, drückte er etwas Salbe auf seine Finger und sagte leiser, wie zu sich selbst: »Und solche Kerle dürfen mir das Licht ausblasen.« Er schob die Hand in den Hosenbund, rieb die Schamgegend ein, und beide zuckten sie zusammen, als nebenan eine Tür knallte. Stimmen waren zu hören, Gelächter von Betrunkenen, ein Hund bellte. »Milli, heißt sie«, rief jemand, »eigentlich Melitta. Die haut dir die Knochensäge an den Kopf!« Die Lippen fast weiß, schloss Fiete die Augen und sank gegen die Mauer, den mürben Verputz. Doch kurz darauf entfernten sich die Männer, und im Gang war es wieder ruhig, sah man von den Schritten des Wächters ab, der manchmal pfiff, um sich die Langeweile zu vertreiben. Alle paar Herzschläge wurde der Spalt an der Türzarge dunkel.

Fiete schluckte. »Komisch ist, dass ich das oft geträumt hab«, murmelte er. »In den letzten Jahren bin ich wieder und wieder erschossen worden, und manchmal war es sogar eine Wohltat oder eine Erlösung. Zum Beispiel, wenn ich keine Lust mehr hatte zu leben, Liebeskummer, Weltschmerz oder was … Endlich Ruhe, dachte ich dann, leckt mich alle am Arsch, ihr Idioten. Aber meistens bin ich hochgeschreckt, die Hand auf der Brust, und konnte kaum noch atmen.«

Die Zigarette war erloschen, er hielt sie erneut an das Flämmchen. »Mein Vater war Arzt, Laborarzt und Sanitätsoffizier, hab ich das mal erzählt? Im letzten Krieg, also lange vor meiner Geburt, wurde er mehrfach verletzt, Scharfschützen. Er humpelte stark. Und später in der Gefangenschaft bei den Franzosen, irgendwo an der Rhone, haben sie ihn dreimal das eigene Grab schaufeln lassen. Immer wurden ihm die Augen verbunden, und er dachte, er würde exekutiert. Man brüllte Kommandos, lud die Karabiner durch – aber dann pissten die Froschfresser nur in das Loch, und er musste alles wieder zuschaufeln. Ein feiner Kerl, hat oft geweint, wenn er vom Krieg sprach.«

Er spuckte etwas Tabak aus. »Und einmal, als ich meine Träume erwähnte, sagte er mir, dass es ein Gedächtnis der Zellen in unserem Körper gibt, auch der Samen- und Eizellen also, und das wird vererbt. Seelisch oder körperlich verwundet zu werden, macht was mit den Nachkommen. Die Kränkungen, die Schläge oder die Kugeln, die dich treffen, verletzen auch deine ungeborenen Kinder, sozusagen. Und später, wie liebevoll behütet sie auch heranwachsen mögen, haben sie panische Angst davor, gekränkt, geschlagen oder erschossen zu werden. Jedenfalls im Unterbewusstsein, in den Träumen. Eigentlich logisch, oder?«

Er schnippte den Rest der Zigarette weg, trank erneut. Feiner Wasserstaub wehte durch das Gitter, und Walter formte das zerlaufene und fast erstarrte Stearin wieder um den Docht herum. »Und was ist«, fragte er tonlos und räusperte sich, um zu seiner Stimme zu kommen, »was ist mit dem, der schießen muss? Was vererbt der?«

Am Feldrand ging ein Wächter in einem Kapuzenmantel vorbei. Ein paar Strohhalme rutschten in das Wachs und fingen Feuer, und der andere kratzte sich den Nacken. Im Schein der hochfahrenden Flamme sah sein Gesicht momentlang wie früher aus, wie das eines eleganten Mädchens, halb vom Schatten der Hand verdeckt, und er lächelte matt und sagte: »Woher soll denn ich das wissen, Häuptling. Wahrscheinlich eine große Traurigkeit …«

Das Regengeräusch wurde leiser. Im Dorf verklang ein einzelner Glockenton, und er reichte ihm die Flasche, zog sich die Decke unters Kinn und legte den Kopf an seine Schulter. Walter nippte von dem Schnaps, der in der Kehle brannte, im Magen, ihn aber doch nicht wärmte. Den Atem anhaltend schloss er die Augen, als er plötzlich die Hand des Freundes fühlte, ihr selbstverständliches, um keinen Widerspruch besorgtes Tasten über Wange, Hals und Brust. Es war eine stumme Vergewisserung, eine letzte gar, und er wendete den Kopf weg, um seine Tränen zu verbergen.

Fiete hustete erneut. »Erinnerst du dich eigentlich noch an den kranken Hund in Malente, Ata? Diesen räudigen Straßenköter, Schaum vor den Zähnen? Wie der über den Hof der Berufsschule getorkelt kam mit blutunterlaufenen Augen, und alle schrien und rannten weg? Mann, war das ein Oschi! Sein Hecheln klang, als hätte er was Glühendes verschluckt. Und auf einmal stand nur noch ich da, mit dem Rücken an der Wand, und er humpelte auf mich zu wie der Leibhaftige persönlich. Erinnerst du dich?«

Draußen stieg Leuchtspurmunition in den Himmel, und Walter nickte. Fiete spuckte etwas Schleim aus. »Ich wurde fast ohnmächtig vor Angst. Warum ich?, fuhr es mir damals durch den Kopf. Warum ausgerechnet ich, verdammt? Alle gafften sicher hinter den Fenstern, und ich habe mich eigentlich schon tot gesehen oder im Spital und dachte – aber es war mehr ein Gefühl als ein Gedanke: Ja, Moment mal, wieso eigentlich nicht? Warum *nicht* ich? Hab ich wirklich gedacht. Und pötzlich durchzuckte mich eine Freiheit, Ata, wie ich sie noch nie erlebt hatte; mir wurde ganz leicht. Ich fühlte überhaupt keine Angst mehr oder doch viel weniger, und dieser Teufelsköter, dieser arme Hund, drehte tatsächlich ab ...« Er schüttelte den Kopf, stieß etwas Luft durch die Nase. »Verrückt, oder? Hätte er mich bloß erledigt.«

Walter, der ihm die Flasche zurückgab, sagte nichts, wusste nichts zu sagen, und er kippte den Schnapsrest hinunter und warf sie in die Rüben, wo sie aber heil blieb; man hörte kein Klirren. Doch gerieten einige Früchte ins Kollern, ein dumpfes Geräusch, das nach Holz klang oder Knochen und dem kurz darauf eine Staubschwade folgte. Graubraun wölkte sie durch den Keller, das Kerzenlicht, man roch die würzige, von der Sonne getrocknete Ackererde, den Herbst der Ernte, und Fiete schmiegte sich wieder an ihn, schloss die Augen.

Sein Atem ging schwer und leise keuchend, die Halsader pochte schnell; Walter konnte das innere Zittern des Jungen fühlen, die Angst. Er pulte sich Wachs von den Fingern und horchte: Im Gang kein Laut. Auch die Geschütze jenseits des Flusses waren verstummt, und beide mochten sie kurz eingenickt sein auf dem Stroh. Ihm jedenfalls, die kalte Wand im Rücken, kam das Fiepen irgendwo unter den Rüben wie das Zischen und Pfeifen feuchter Scheite in den Lagerfeuern der Kindheit vor, und er schreckte zusammen, als der Freund einen Teil der Decke über ihn schlug. »Du zitterst«, flüsterte er.

In dem Augenblick wurde der Schlüssel im Schloss gedreht. Die Kante der verzogenen Tür kratzte über den Estrich, und das dünne, von gekreuzten Winkeleisen bewehrte Blech wölbte sich und fand wieder in seine Form mit einem Knall.

Fiete setzte sich auf, griff nach Walters Handgelenk, blickte auf die Uhr. Am Ende des keilförmigen Lichtfelds standen mehrere Soldaten. Der Adjutant des Sturmbannführers trug eine Petroleumlampe an einem Draht herein, stellte sie neben die Kerze. Dann zupfte er sich die Handschuhe von den Fingern, steckte sie in die Taschen seines Ledermantels und zwinkerte ihnen zu. »Manche können von Glück reden«, sagte er. Seine schneidige Stimme, ihr befehlsgewohnter Ton, hallte unter dem Gewölbe wider. »Sie müssen einen Fürsprecher haben, Caroli.«

Wie benommen von dem Duft der Rüben, taumelten Nachtfalter aus dem Flur in den Raum. Die Jungen sahen sich an, und Troche grinste herb, als er sich hinabbeugte und dem Verurteilten einen gelblichen Briefbogen gab. »Mit Grüßen vom Chef. Ausnahmsweise erhalten Sie die Genehmigung, engste Angehörige zu benachrichtigen. Maximal vierundzwanzig Zeilen, leserlich. Keine Ortsangabe, keine Namen von Kameraden oder Vorgesetzten, keine Äußerungen zum Standrecht. Auf den Linien bleiben und den Rand nicht beschriften.« Er schob den Mützenschirm hoch und blickte ihm forschend ins Gesicht. »Hast du mich verstanden, Junge? Adressat auf die Rückseite.«

Seine Brauen zuckten, doch Fiete sagte kein Wort. Er starrte mit leicht hervortretenden Augen an ihm vorbei auf den Boden, auf das wieder zerrinnende Wachs, und erst als Troche seinem Freund mit einem Wink bedeutete, aus dem Raum zu gehen, fuhr er zusammen, atmete tief. »Nein, warte!«

Er griff nach seinem Arm. Das bleiche Gesicht schmerzverzerrt, krallte er die Hand in die Uniform und stand mit ihm auf, wobei er aus einem Holzschuh knickte. Walter stützte ihn, half ihm wieder hinein und hängte ihm die verrutschte Decke um die Schultern. Mit zitternden Fingern strich er einen Halm von dem Stoff, eine Granne wie Gold durch Tränen gesehen, nickte ihm zu und zog ihn an sich, behutsam. Nie bisher hatte er einen Mann umarmt, und Fiete, der ihm trotz Decke und Mantel unglaublich zart vorkam und dessen Kinn noch jugendlich glatt war, hob sich auf die Fußspitzen und sagte nah an seinem Ohr: »Mach's gut, Häuptling. Danke für alles. Und grüß Ortrud, hörst du. Grüß die Leute. Morgen ist es überstanden.«

Dann hustete er, unterdrückte das Husten und fragte leiser, fast hauchend: »Wirst du da sein?«

Sein Atem war fieberheiß. Am Ackerrand knirschte Kies unter den Stiefeln des Wachmanns, und Walter umschlang den Freund fester, küsste seine Schläfe. Die Lider geschlossen, bewegte er die rissigen Lippen, ohne ein Wort hervorzubringen, die Kehle war wie gelähmt. Nicht einmal schlucken konnte er, während er seine kalte Stirn gegen Fietes schweißnasse drückte und ihm über die Haarstoppeln fuhr. Er presste ein Stöhnen durch die Zähne, und der andere klopfte ihm sanft auf den Rücken und wiederholte: »Ist gut, Ata. Alles Idioten. Morgen tut mir nichts mehr weh.«

Der Wind strich durch das Gitter, die Soldaten im Flur unterhielten sich gedämpft, und keiner der beiden weinte mehr, als sie am Ende voneinander ließen und sich noch ein paar Herzschläge lang ansahen. Dunkler wurde es in ihren Augen, wenig nur, aber man konnte die Farben, das helle Blau und das grünliche Braun, nicht mehr voneinander unterscheiden: Troche hatte den Kerzenrest mit dem Absatz ausgetreten und klatschte in die Hände. »Also los, los, wir haben nicht ewig Zeit!«, sagte er. »Schreiben Sie Ihren Brief, Caroli!«

Fiete blickte sich um, suchte Halt an der Mauer. Sandkörner rieselten aus dem mürben Verputz. »Was denn? Jetzt?« Die zerkratzten Brauen erhoben, zog er die Decke unterm Kinn zusammen. »Ich soll ihn gleich schreiben?«

»Natürlich!«, sagte der Adjutant und griff in seine Manteltasche. »Warum stehe ich wohl hier? Ich warte!«

Er zog einen Füllhalter hervor, schraubte ihn auf und befahl Walter erneut, den Raum zu verlassen. Noch einmal nickte der dem Verurteilten zu, und die Schnalle klirrte, als er versehentlich gegen einen Gürtel trat, der neben dem Fez auf dem Fußboden lag. Mit jedem Schritt rückwärts wuchs sein Schatten breiter über den Boden, die Mauer, und verlor sich schließlich zwischen den Gitterstäben im Dunkeln. »Bis morgen also«,

sagte er heiser und schloss kurz die Augen. »Ich werd'
da sein.«

Doch Fiete sah nicht mehr auf. Er hatte das Blatt vor
die Lampe gelegt und schrieb, die Unterarme auf dem
Estrich, tief gebeugt im Knien. Die Decke war ihm in
den Nacken gerutscht, eine Wulst, hinter der man den
Kopf kaum sah, ihre Zipfel bedeckten seine Hände,
und das Emblem auf der Kappe des Füllhalters, eine
Art Schneeflocke, schimmerte matt. »Danke«, murmelte er und schrieb.

In der Nacht war alle Nässe gefroren, auf den Pfützen lag dünnes Eis. Halb im Morast versunken, stand
eine Flugabwehrkanone an dem Tümpel jenseits des
Ackers, die ersten Vögel sangen, und das fahle Schilf
wogte, als ein alter Keiler zum Wasser lief. Ein mas-
siges Tier mit gesträubten Nackenborsten voller Tau,
hob er witternd die Schnauze und musterte die Tannen am anderen Ufer aus schmalen Augen, ehe er sich
hinabbeugte und die Entengrütze schlürfte. Die Ohr-
spitzen zuckten, der Pürzel kreiselte vor Behagen. Anschließend wälzte er sich grunzend im Schlamm, der
Geruch nach Ammoniak erfüllte die Luft, und nachdem er seine dampfende Schwarte an einer Eiche gerieben und die langen Hauer geschärft hatte – die Rinde
krachte und splitterte, der Zahnknochen quietschte
auf dem weißen Holz –, war sein einsames Bad auch
schon beendet, und er verschwand so leise, wie er gekommen war.

Auf den beiden Gräbern hinter der Scheune, den schmalen Haufen mit den Stiefelabdrücken der Soldaten, die am Vortag die Erde festgetreten hatten, lag Reif. Die Männer hockten am Ende des langen Tisches und aßen Marmeladenbrote, Jörn goss ihnen Tee aus einer Blechkanne ein. Er trug eine Feldmütze mit Ohrenklappen und fingerlose Handschuhe, und während der Gerberlehrling und die Abiturienten schon wieder ihre Karten auffächerten, winkte er Walter heran und schob ihm eine Tasse hin. »Wie siehst du denn aus? Hast du gar nicht gepennt?«

Er antwortete zunächst nicht, oder nur mit einer knappen Kopfbewegung, und setzte sich zu ihnen. Fünf geputzte und geölte Karabiner mit Nussbaumschäften und brünierten Läufen lehnten an der Wand, fünf Helme hingen auf den Mündungen, und er schmiegte die Hände um das heiße Blech und sagte: »Wollte noch mal zu ihm; aber die Wachmänner … Vergiss es. Manchmal konnte ich ihn husten hören in dem Loch, und das klang schon wie unter der Erde.«

Jörn sah ihn aufmerksam an, streckte den Arm über den Tisch und hielt ihm die Fingerrücken an die Stirn. Doch Walter zuckte zurück, und der andere goss ihm etwas Schnaps aus seinem Silber-Flachmann in den Tee. »Mach dir nicht zu viele Gedanken«, sagte er. »In deiner dunkelsten Stunde ist es einfach nur dunkel, das muss man jetzt unter Schicksal verbuchen. Und für den Jungen ist es wahrscheinlich weniger schlimm, als man ahnt. In der Uni bin ich mal vom Baugerüst geflogen, aus dem zweiten Stock, und kann mich nicht mal mehr erinnern, wie ich da überhaupt hochgelangt war. Ich hatte schon das Bewusstsein verloren, ehe ich aufschlug. Das ist so eine Art Gnade, wenn's ganz hart kommt.«

Ein Offizier rüttelte prüfend an den Pfählen vor dem Acker, drei Erlenstämmen. Aus der Tasche seiner Pelzjacke hing ein Stethoskop, und Jörn rieb und knetete sich die Finger. »Heiliger Bimbam, und ich dachte, es wird endlich Frühling! Wo ist denn dein Mantel? Frierst du dir nicht den Arsch ab?«

Walter, die Augen geschlossen, trank erneut. Der Tee war stark gesüßt, so dass er den Schnaps kaum schmeckte. »Fiete hat ihn«, sagte er in die Tasse hinein und fügte leiser hinzu: »Ich ziel auf jeden Fall daneben ...«

Die Schüler bissen in ihre Brote und stritten um die Reihenfolge im Spiel, doch Florian, der Gerberlehrling, hatte ihn gehört. Mit der Ecke einer Karte fuhr er sich über die Gurgel und sagte: »Sei kein Idiot, Mann, der stirbt eh. Die zählen die Einschüsse, und wenn einer fehlt, schicken sie uns alle noch vor dem Mittagessen an die Front. Und heut Abend sind wir Gedärm an den Panzerketten.«

Die Schüler blickten auf, und Jörn verschränkte die Arme vor der Brust; leise sprach er, fast beschwörend. »Er hat recht, Walter. Reit uns nicht noch kurz vor Schluss in die Scheiße! Fiete lebt schon in einer anderen Welt, glaub mir. In so einer Art Traum, aus dem er zu keiner Wirklichkeit mehr erwacht. Ich wette, er wird uns gar nicht erkennen.«

Mit dem Daumen wies er auf die Karabiner. »Außerdem ist sowieso eine Platzpatrone dabei. Jeder kann sich also einbilden ...«

Er beendete den Satz nicht, und Walter sah ihn an. »Woher willst du das wissen?«, fragte er, bekam aber keine Antwort mehr. Das Pferd in der Ecke drehte den Kopf.

An der Spitze eines kleinen Gefolges betrat der Sturmbannführer die Scheune, sein Adjutant schnippte mit den Fingern. Die Soldaten stiegen über die Bänke, nahmen Aufstellung, und Domberg, die Brillengläser staubig, die Augen in den dunklen Höhlen gerötet, hob das unrasierte Kinn und musterte die Reihe Mann für Mann. Er rückte sogar ein Koppel zurecht und zupfte an einem Kragen. Nur bei Walter schloss er kurz einmal die Lider. Dann sah er auf die Uhr, schob die Hände in die Taschen.

Der Mantel spannte über seinem Bauch, und das Halsfett wackelte, als er sagte: »Also, meine Herren, ich erwarte Mannhaftigkeit und Charakter. Es gibt Situationen im Krieg, da muss man stärker sein als alle Skrupel. Wer unseren schicksalhaften Kampf in dieser entscheidenden Stunde verloren gibt, der gibt uns alle verloren und hat das Recht, in unserer Mitte zu leben, verwirkt. Vor euren Gewehren, das macht euch bitte klar, steht kein Kamerad, sondern ein Feind. Er hat unsere Ehre und Treue mit Füßen getreten, und dafür kann es nur eine Strafe geben.«

In Győr wurden Sirenen laut, Luftalarm, und er schob sich die Brille zurecht und drohte ihnen mit dem Finger. Obwohl er jetzt leiser sprach, klang seine Stimme doch durchdringender, als bestände sie ganz aus der eisigen Luft. »Übrigens: Falls jetzt noch jemand den Befehl verweigern möchte, hätte ich durchaus Verständnis. Aber er weiß hoffentlich auch, wo er sich dann hinstellen muss.« Seine Zunge glitt über die untere Zahnreihe. »Ist das jedem klar?«

Wie ein Mann sagten alle »Jawohl, Sturmbannführer!«, und er grüßte lasch, mehr eine Hand- als eine Armbewegung, nickte seinem Adjutanten zu und ging davon. Dabei klopfte er dem Pferd in der Ecke auf den staubigen Hals.

Troche, dessen Narben an diesem Morgen blasser waren als die Gesichtshaut, nahm sein Käppi ab, setzte sich einen Stahlhelm auf und bedeutete ihnen, dasselbe zu tun. Trotz des ledernen Innenfutters war das kalte Metall auf dem Scheitel zu fühlen, und während sie sich die Riemen festschnallten, zeigte er auf die Waffen und sagte: »Also, bringen wir's hinter uns. Die Spielregeln sind bekannt. Ihr steht Schulter an Schulter, entsichert gleichzeitig, zielt auf die Brust und wartet auf mein Kommando. Dem Delinquenten ist nicht in die Augen zu sehen, keiner richtet ein Wort an ihn. Und raus jetzt, Aufstellung nehmen!«

Hoch über ihnen waren russische Bomber zu hören, ein großes Tupolew-Geschwader mit Kurs auf Wien, wie fast jeden Morgen. Eine Maschine warf Flugblätter ab, die »Frontnachrichten«, nur bei Strafe zu lesen, und die Männer traten aus der Scheune in dem Moment, in dem Fiete von zwei Fallschirmjägern auf den Platz geführt wurde. Er ging auf Strümpfen, trug aber den Mantel, der ihm deutlich zu groß war; nur die Finger schauten aus den Ärmeln hervor. Ein zerfranster und von altem Blut gefärbter Streifen seines Verbands hing aus dem Halsausschnitt.

Man hatte ihn nicht gefesselt, und die beiden Soldaten griffen nur nach seinen Oberarmen, wenn er stolperte oder ins Wanken kam auf den gefrorenen Maulwurfshaufen. Einer hielt eine Pistole in der Hand und sagte etwas aus dem Mundwinkel zu ihm, was Fiete mit einem Nicken beantwortete. Gerade hielt er sich und schien auf den ersten Blick ganz ruhig zu sein; doch ging sein Atem, so viel war im Frühfrost deutlich zu sehen, in kurzen, schnellen Stößen, und der Hauch war zarter und durchscheinender als der seiner Bewacher.

Sie stellten ihn mit dem Rücken an den mittleren Pfahl. Troche zog einen Strick aus der Manteltasche. Der Hanf glitt sirrend über die Lederkante, und er band ihm die Hände hinter dem Holz zusammen, ein doppelter Knoten, und bedeutete ihm mit der Stiefelspitze, die Füße enger zusammen und dichter an den Pfahl zu stellen, ehe er auch sie fesselte. Dann zückte er ein Messer, schnitt ihm die oberen Blechknöpfe vom Mantel und klappte die Revers um, so dass die Brust eine glatte Fläche bildete.

Fiete ließ alles wortlos mit sich geschehen, bei gesenkten Lidern, und verneinte mit einer kaum merklichen Kopfbewegung, als der Offizier, der ein Etui hervorgezogen hatte, eine Zigarette zwischen seine Lippen stecken wollte. Er hob das Kinn und sah in die Richtung der Schützen.

Fiebrig der Blick, Nase und Ohren vor Kälte rot. Zwar runzelte er die Stirn und öffnete den Mund, doch war sich Walter nicht sicher, ob der Junge ihn überhaupt sah, schien ihm doch die Sonne ins Gesicht. Blinzelnd reckte er ein wenig den Hals, suchte ihn zwischen den Umstehenden und erkannte ihn wohl tatsächlich nicht – als hätte die Aussichtslosigkeit auch den besten Freund, die Stahlkante des Helms über den Augen, das Gewehr bei Fuß, zu einem Fremden gemacht. Er ließ die Schultern wieder sinken.

Ein paar Soldaten, Frühstücksbrote in den Händen, dampfenden Tee in den Geschirren, stellten sich neugierig ins Scheunentor. Die Schäfte seiner Reitstiefel knarrten, als Troche den knapp zehn Schritte langen Weg vom Richtpfahl zu den Schützen heraufkam, wobei er jeden einzelnen genau musterte. Er rauchte die Zigarette, die Fiete abgelehnt hatte, und nickte ihnen zu, worauf sie die Karabiner anlegten und entsicherten, eine kurze Bewegung des Daumens, bei der Walter zwar wieder einen Finger unter den Metallknopf hielt. Doch das Klicken der anderen Hebel hallte in der frostklaren Luft, und Fiete, der nun heftiger atmete, schloss die Augen und bewegte kaum merklich die Lippen.

»Was ist jetzt mit deinem Mantel?«, zischte Florian hinter dem Kolben. »Willst du ihm den wirklich lassen?«

Doch Walter schwieg und blickte einmal rasch an den blau verfärbten Händen des Gerbers vorbei auf Troche, der nun neben ihrer Reihe stand, sich aber nicht nach dem Verurteilten umdrehte. Vielmehr griff er einem der Abiturienten unter den Lauf, korrigierte behutsam die Richtung, zog an der Zigarette und sagte leise, fast flüsternd: »Alle fertig? Und … zack!« Woraufhin Walter, der ein anderes und auch lauteres Kommando erwartet hatte, bereits Rauch vor den Gewehren der Kameraden sah, ehe er abdrückte, ein Reflex mehr als die Ausführung eines Befehls. Der Nachhall sirrte in seinen Ohren.

Ein Durchschuss ließ Erde hochspritzen. Schwarzdrosseln flogen vom Acker auf, und schneller, als sich die Verblüffung über die jähe Wucht der Einschläge in seinem Gesicht abzeichnen konnte, sackte Fiete ein Stück weit in die Knie, stand plötzlich o-beinig da. Wie es Kinder tun bei einem unerwarteten, bislang nie erlebten und nicht für möglich gehaltenen Schmerz, riss er den Mund weit auf, hielt die Augen aber geschlossen. Etwas Atem entwich den Einschusslöchern.

Erneut klickten die Sicherungen. Zwar drückte er, am ganzen Leib zitternd, die Beine noch einmal durch, doch neigte sich der Rumpf langsam vor, die Stirnfalten verschwanden und sein jähes Erbleichen war schon nicht mehr das eines Lebenden. Der Hanfstrick rutschte knarrend über die Baumrinde, die hier und da abgeplatzt war, auf dem hellen Holz glänzte Blut, und mühsam, als könnte er es immer noch nicht glauben, schüttelte er den Kopf. Ein klarer Speichelfaden an seiner Unterlippe färbte sich hellrot.

Dann sank ihm das Kinn auf die Brust, und Walter, den heißen Lauf der Waffe in der Faust, schloss einen Moment lang die Augen. Schwindelig wurde ihm, die Därme rumorten, und er knirschte unwillkürlich mit den Zähnen, als hinter ihnen jemand »Sauber!« sagte. Die Helmkante aus der Stirn geschoben, wischte er sich den Schweiß mit dem Ärmel aus dem Gesicht, und plötzlich lag der Freund verdreht auf dem Boden, und der Offizier, der ihn vom Stamm geschnitten hatte, befahl sie zum Fahrzeugappell in fünf Minuten.

Er schrieb etwas in sein Notizbuch. Die Männer lehnten die Karabiner an die Wand und gingen in die Scheune. Aber Fiete war noch nicht tot, die Unterlippe zitterte, der Brustkorb hob und senkte sich, eine Hand griff in die Luft. Während der Arzt sich über ihn beugte und die Mantelfetzen zur Seite klappte, um die Einschüsse zu zählen – mit dem Bleistift tippte er sie ab –, wehte dem Jungen immer noch Atem aus Nase und Mund, eine zarte Fahne in raschen Stößen, und er öffnete langsam die Augen, so dass man die Iris sehen konnte, den letzten Glanz und das matter werdende Blau seines Blicks. In dem schon keine Richtung mehr war.

Den Kopf weit in den Nacken gebogen, als wollte er allen noch einmal die Kehle bieten, schien er zu lächeln auf seine verwegene Art, mit einem Lippenwinkel nur, und Walter, der nicht auf Troches Stimme achtete, seine barsche Zurechtweisung, und über das gefrorene Gras auf den Freund zustolperte, wobei er sein Gewehr ein Stück weit über den Boden schleifte, um es schließlich fallen zu lassen, Walter erreichte ihn nicht mehr. Nur sein Schatten fiel noch auf ihn, auf das Gesicht und die nun grauen Augen, während der letzte Atemhauch verwehte und der offene Mund leer blieb.

Ein wenig Blut auf den Zähnen. Der Arzt hielt das Stethoskop an die Brust des Toten und schloss mit der anderen Hand, mit Daumen und Zeigefinger, seine Lider. Die Fallschirmjäger begannen zu graben. Ihre Hacken und Spatenblätter klirrten in der Kälte, und dann wurde alles fahl, wie vom Nebel verhangen, und er fühlte die Maulwurfshaufen und die Steine in seinem Rücken und hörte die Kameraden hoch über sich, ihre Rufe und die harten Schritte, als träten sie die Erde fest.

»Liebe Helene! Danken will ich Dir für Deine Briefe und das Päckchen! Alles kam pünktlich zum Fest hier an, obwohl wir doch mehrfach den Standort gewechselt haben. Die Post jedenfalls scheint noch zu funktionieren, und vielleicht werden wir die nächsten Ostern ja im Frieden verbringen.

Ich weiß nicht, ob Mama es Dir erzählt hat: Vor kurzem hatte ich ein paar Tage Urlaub und habe Papas Grab gesucht. Er ist ganz in der Nähe gefallen, aber die Kreuze sind oft nicht beschriftet, und es gibt so viele … Man weiß nicht, wo man anfangen soll mit dem Suchen. Jedenfalls liegt er irgendwo in dieser Erde, und wenn der Krieg vorbei ist, fahren wir mal her. In der Puszta gibt es eine Stille, die ist wie ein Raum oder ein Gewölbe – als würden die Toten die Ohren spitzen.

Deine selbstgebackenen Kekse, besonders die mit Schokolade, waren köstlich! Auch die Dauerwurst hat einen dankbaren Abnehmer gefunden. Ich bin übrigens gerade im Lazarett, aber keine Angst, alles ist heil. Es sind bloß die Nerven, sagt der Sani, eine Art Frontkoller, obwohl ich doch in der Etappe bin. Tatsächlich zittert und zuckt mein Gesicht, ich kann nichts dagegen machen. Rasieren wäre jetzt gefährlich. Doch das legt sich schon, man gibt mir Köllnflocken und Rotwein mit Honig, wie in der Kur.

Der Feind kämpft sich zügig vor, und wir rücken demnächst ab, hinter die Reichsgrenze, wo hoffentlich nicht zu viele Partisanen lauern. Vielleicht kommen wir ja in der Nähe von Wien zum Einsatz, da würde ich endlich mal eine Großstadt sehen.

In Deinem Alter war Ostern immer mein Lieblingsfest. Weil danach alles heller und wärmer wird, mag ich's heute noch mehr als Weihnachten. Eier gibt's hier zwar auch, mit Blaufett, Kamille und Roter Beete gefärbt, aber kein Birkengrün, die meisten Bäume sind gefällt.

Also, mach's gut, schöne Helene, sie löschen die Lampen. Ich hoffe, das mit dem Husten hat sich gebessert, der Winter ist ja erst mal vorbei. Solltest Du ein feuchtes Zimmer haben, leg Dir Glasscheiben auf den Boden unters Bett, das machen die Leute hier auch. Und grüß die Mama, wenn Du magst. Dein W.«

Der letzte Betriebsstoff war verbraucht; man brachte alle Lebensmittel, die man aus den Depots gerettet hatte, mit Hilfe von Pferde- und Ochsenkarren hinter die Berge. Walter führte drei junge Esel über den Pass und war seinen Kameraden, die ihre Mühe mit den schlechten Wegen und den störrischen Zugtieren hatten, schon weit voraus, was auch daran lag, dass er den Tieren ab und zu etwas Zucker gab. Leichtfüßiger, als es die prallen Säcke auf ihren Rücken vermuten ließen, folgten sie ihm über das Geröll, das die Frühjahrsschmelze von den Hängen gespült hatte, und liefen auch nicht fort, als ihm einmal der Strick aus der Hand glitt. Sie blieben einfach stehen.

Oft mussten Wurzelstöcke und ganze Bäume zur Seite geräumt werden, und gegen Mittag erreichten die Männer eine halbwegs befestigte Straße, die sich in Serpentinen ins Tal wand, einem Kirchflecken zu. Man hörte das Läuten, messinghell, und plötzlich vibrierte der Boden und kleine Steine rieselten vom Hang. Die Tiere legten die Ohren an, als ein olivgrüner Lastwagen mit gewaltiger Stoßstange und vergitterten Scheinwerfern um die Kurve bog. Bewaffnete Amerikaner saßen auf der Ladefläche, und der Fahrer, dessen Gesicht er zunächst für geschwärzt hielt, stoppte hart neben ihm und sagte über den Ellbogen hinweg: »Hey man, whe're your wheels?«

Grinsend richtete er eine Pistole auf Walter, und obwohl der kein Wort verstanden hatte, musste er ebenfalls lächeln. Dabei hob er die Hände gerade so weit, dass die SS-Runen an seinem Kragenspiegel verdeckt wurden, und blickte sich aus den Lidwinkeln nach den anderen um. Einige sprangen von den Karren und verschwanden auf buschigen Seitenpfaden, ohne dass jemand schoss oder sie verfolgte. Doch die meisten machten es ihm gleich, kamen zögernd näher, und nachdem man die Lebensmittel verladen hatte, entließ man die Tiere mit einem Klaps in die Landschaft.

Das Lager, in das die Soldaten nach einer Nachtfahrt auf einem offenen Anhänger gebracht wurden, befand sich in einem Tal bei Wagrain, gut achtzig Kilometer südlich von Salzburg, wie ihm ein Sanitäter sagte. Ein hoher Stacheldrahtzaun und steile Felswände umgrenzten das Gebiet, eine ehemalige Weide, Zwischen-station für viele Gefangene. Zertreten das Gras, der Grund schmatzte bei jedem Schritt, die Stiefel waren schnell durchnässt. Man hatte zwar Latrinen errichtet, lange Donnerbalken aus ungehobelten Stämmen, aber keine Baracken, Zelte oder Biwaks für die Männer, und manche waren damit beschäftigt, sich mit leeren Konservendosen oder bloßen Händen Mulden in die Erde zu graben, um darin etwas Schutz vor Sonne und Regen zu finden.

Es gab nichts zu trinken, nirgendwo, und als der Durst nicht mehr auszuhalten war, legte Walter sich wie alle anderen auf den Bauch und sog das Pfützenwasser durch die zusammengedrückten Zähne ein. Abzei-chen, Medaillen und Nahkampfspangen schimmer-ten im Schlamm, und nachdem er eine Weile durch die Reihen gegangen war und sich umgesehen hatte, warf auch er sein Koppelschloss und die perforierte Erkennungsmarke weg und lieh sich eine Scherbe von einem Wehrmachtssoldaten, schnitt die Runen aus sei-ner Jacke.

Er stand auf einer Anhöhe am Lagerrand, in der Fer-ne konnte man weiße Bergkuppen sehen, Gämsen im glitzernden Schnee, und der Soldat, ein Gefreiter, wies über die unzähligen Männer. Der schon wärmenden Sonne zugewendet, hatten viele ihre Uniformröcke und Hemden ausgezogen und dösten im Hocksitz vor sich hin. Hager die ausrasierten Nacken, spitz die Schulterblätter, die sich unter der schmutzigen Wäsche abzeichneten, dürr und zerschunden Arme und Hände. »Schau's dir an«, murmelte er. »Unser tausendjähriges Reich. Wie sagte der Führer noch in seiner Neujahrsansprache? Wem das Schicksal derart viel abverlangt, der ist für Großes bestimmt – oder so ähnlich. Was hat er wohl gemeint? Was glaubst du? Dünnschiss und Krätze?«

Aus der Baracke der Amerikaner duftete es nach Zigarrenrauch, nach Kaffee und gebratenem Speck, doch gab es keinerlei Verpflegung für die Gefangenen, zwei Tage lang nicht. Viele kochten »Frühlingssuppen« im Stahlhelm, einen Brei aus jungen Brennnesseln, Sauerampfer und Löwenzahn, wobei man das Feuer mit Soldbüchern unterhielt. Auch Walter ging vor so einem Topf in die Hocke und steuerte seines bei, und ein Pionier, ein Mann um die vierzig, lieh ihm einen Löffel. Grauhaarig schon, langte er in die Brusttasche seiner Bluse und zog etwas Tabak hervor, und als Walter ihn fragte, wie lange sie wohl hier bleiben mussten, zuckte er mit den Achseln. »Kurz nur, glaube ich. Die Amis haben kein wirkliches Interesse an Gefangenen. Ist denen zu teuer.«

Er drehte sich eine Zigarette, das Blättchen hatte kyrillische Wasserzeichen. »Sie suchen Kriegsverbrecher, Leute von der SS. Und wenn du mich fragst: Das geschieht denen recht, diesen Sauhunden. Die hatten immer die neuesten Waffen, das reichlichste Fressen und die schärfsten Weiber, die sich bereitwillig hacken ließen. Der Führer und sein Himmler, die haben denen Zucker in den Arsch geblasen und das Blaue vom Himmel versprochen, und sie konnten uns trotzdem nicht raushauen, nicht am Balaton und auch nicht vor Wien. Die sollen alle im Loch verrecken.«

Walter schluckte; grün wie Spinat, schmeckte der lau-
warme Brei doch sehr bitter, Sand knirschte zwischen
seinen Zähnen. »Die suchen was? Wieso Kriegsverbrecher?«, fragte er. »Woran wollen sie die denn erkennen?«

Der Mann leckte über sein Blättchen. »Na, du bist ein
Goldkind. Woran wohl? An ihren Tätowierungen natürlich, den Blutgruppen. Die sind das Kainsmal. Und
danach wird weitergesiebt.«

Walter griff sich ins Hemd und betastete die leicht er-
habene Stelle. Ein kühler Hauch strich ihm über den
Nacken. »Aber gibt es«, fragte er verblüfft, »gibt es
die denn nur bei der SS? Haben nicht alle Soldaten so
eine Tätowierung?«

Das leise »Aha!« des Pioniers, beim Anzünden der
Zigarette in die hohle Hand gesprochen, klang spöttisch. Er stieß den Rauch aus dem Mundwinkel aus
und musterte den Kragen seiner Uniform. »Nicht alle,
nein. Beim Entlausen wirst du's sehen ...«

Abends fing es an zu regnen, und man hängte sich Jacken und Mäntel über die Köpfe. Wer noch eine Plane
oder Decke besaß, spannte sie mit Pflöcken über das
Erdloch, in dem er schlief oder zu schlafen versuchte.
Doch bald schon war alles voller Wasser, und wenn sich
die Männer enger zusammendrängten, um wenigstens
etwas Wärme zu finden, schossen die Amerikaner auf
der anderen Seite des Zauns mit Leuchtpistolen in die
Dunkelheit. Dann wuchsen scharfe Schatten über die
Felswände, und das brennende Magnesium tropfte aus
der Höhe auf die Zermürbten und verletzte manche.
Oft gingen ihre Schreie in lautes Weinen und Wim-

mern über, und dauerte es länger, rief jemand aus den
Baracken: »Shut up!«

Gegen Morgen wurde der Regen schwächer, der Himmel klärte sich, und nun fanden einige doch etwas
Schlaf, trotz der durchnässten Erde; hier und da war
sogar ein Schnarchen zu hören. Die Sterne verblassten über dem Tal, die Schneekuppen auf den Bergen
schimmerten rosig, und der Wind ließ die ovalen Erkennungsmarken, die an den Ketten am Stacheldraht
hingen, Tausende wohl, leise gegeneinanderklirren.

»Liebe Liesel, hoffentlich bist Du heil und wohlauf.
Mir geht es den Umständen nach gut. Wundere Dich
nicht über die krakelige Schrift. Das ist Spezialpapier,
das sie hier austeilen, mit Wasser beschrieben wird es
blau. Aber oft zerläuft auch alles, man muß vorsichtig
mit der Feder umgehen.

Nach ein paar Tagen in der Nähe von Salzburg in der
Ostmark bin ich jetzt in einem ehemaligen Konzen-
trationslager bei München. Die Amis behandeln uns
anständig. Auch bei den Verhören gab es kein Gebrüll
und keine Schläge, jedenfalls nicht für mich. Na, ich
bin jung, war zwangsrekrutiert und habe nur Laster
herumgefahren. Wir können uns zweimal die Woche
brausen und dürfen ihre alten Uniformen auftragen,
oder die von ihren Toten. Auf den Rücken müssen wir
aber groß POW schreiben, das ist die englische Abkür-
zung für Kriegsgefangener. Ich habe es mit Zahnpasta
gemacht, Colgate, kann man später rauswaschen.

Wir warten und reparieren die Autos von den Amis, sonst gibt es wenig zu tun. Manche steigen auf die Barackendächer, um in den Frauenblock zu gucken. Da sitzen Aufseherinnen, richtige Flintenweiber von der Totenkopf-SS. Die haben nackte Häftlinge im tiefsten Frost an die Zäune gebunden und mit Wasser übergossen, und wenn es ihnen nicht schnell genug ging mit dem Sterben, wurde mit Küchenmessern nachgeholfen. Jetzt haben sie nichts mehr zu verlieren und zeigen den Männern, was sie sehen wollen.

Einige machen Leseabende, andere spielen Theater. Manchmal gibt's auch Filme, und stell Dir vor, gestern saß der Göring mit uns im Saal, der Reichsmarschall. In Nürnberg soll ein großer Prozeß stattfinden. Wie Graf Koks kam der rein, immer noch mit dickem Ring, aber alle Schlitze für die Orden in der Jacke waren leer. Bestimmt zwanzig Militärpolizisten mit weißen Helmen und Gürteln setzten sich so um ihn herum, daß keiner ihm zu nahe kommen konnte. Da hockte er und guckte sich mit uns ›Romanze in Moll‹ an, und als am Ende dieser arme betrogene Ehemann ›Erledigt, erledigt, es tut nicht einmal mehr weh!‹ sagte, waren sogar Tränen in seinen Augen. Ich hab es glitzern sehen.

Wie lange wir hier bleiben müssen, ist unklar. Seit gestern heißt es, junge Bergleute werden bevorzugt entlassen, damit die Wirtschaft in Schwung kommt, und weil ich im Ruhrgebiet geboren bin und meine Familie da wohnt, gehe ich vielleicht als Kumpel durch. Auf jeden Fall will ich es versuchen, eine Notlüge, um im Sommer wieder im Norden zu sein. Oder hast Du schon einen anderen Schwarm? Ich habe oft an Dich gedacht, und deswegen bin ich heil geblieben, das glaube ich fest. Eins, zwei, drei.«

Die Kuppeln der Zwillingstürme sahen annähernd so aus, wie man sie von Postkarten oder Fotos kannte, doch im Schutt der Apsis lagen zertrümmerte Bänke und ein Kreuz, dem der Jesus fehlte; nur die festgenagelten Hände hingen am Balken. Die Wege zwischen den Holz- und Ziegelhaufen waren schmal, der Staub auf den Lippen schmeckte nach Kalk, und er stellte sich zu den Menschen, die vor einem Hydranten warteten. Alle hatten Eimer, Kannen oder leere Biersiphons mit Porzellanverschlüssen dabei und unterhielten sich in ihrem Dialekt, von dem er nur einzelne Wörter verstand, wenn überhaupt etwas. Zwei Mädchen, die Sandalen aus Reifengummi zu ihren Trachtenkleidern trugen und sich abseits der Schlange eine Zigarette teilten, lächelten ihn an.
Drückend die Hitze. Das pickende Geräusch der Hämmer, mit denen der alte Mörtel von den Ziegeln geschlagen wurde, kam aus allen Richtungen, und seine Kehle war so trocken, dass er kaum schlucken konnte und sich unablässig räusperte. Viele der Versorgten legten kleine Brettstücke oder Strohbüschel auf das Wasser, damit es nicht aus den Eimern schwappte auf ihrem Weg durch die Trümmer. Er nickte dem Wart zu, als er endlich an der Reihe war, und hielt die Hände unter die Öffnung. Doch der starrte an dem Durstigen

vorbei auf die Mädchen und sagte: »Hast du keinen
Becher? You need a cup.«

Er trug einen schmutzigen Halsverband, und der Mund
war nur ein Strich zwischen Stoppeln. An seiner Uniformjacke gab es zwar keine Kragenspiegel mehr, doch
musste sie einmal einem höheren Dienstgrad gehört
haben; der Stoff hatte Offiziersqualität. Wo der Ärmelstreifen mit dem Divisionsnamen gesessen hatte, glänzte ein stacheliger Kranz in der Sonne, Fadenenden aus
verblichenem Gold, und Walter sagte heiser: »Ich bin
Deutscher. Gib mir Wasser, Kamerad.«

Beide Fäuste am Griff des Hydrantenschlüssels, musterte der Mann seine senffarbene Hose und die kurze
Panzerjacke mit dem Reißverschluss. »Wie soll ich das
machen, wenn du keinen Becher hast?«, erwiderte er.
»Und warum trägst du dieses Ami-Zeug? Arbeitest du
für die?«

»Nein«, sagte Walter, »ich war im Lager, in Gefangenschaft, da haben sie uns ihre Kleider geschenkt. Die
deutschen fielen uns von den Knochen. Und jetzt gib
mir Wasser, bitte. Ich bin Stunden gelaufen.«

Der andere stutzte. Er hatte Eiterpunkte in den Augen.
»Vom Lager kommst du? Aus Dachau? Sind da nicht
die Großkopferten? Was habt ihr denn zu fressen gekriegt?«

Walter leckte sich die rauen Lippen. »Zu fressen? Mein
Gott, Ananas. Jeden Tag Ananas in Dosen. Manchmal
Zwieback. Weiß schon nicht mehr, wie Kartoffeln
schmecken, vom Fleisch zu schweigen.« Wieder beugte
er sich zu dem Stutzen hinunter, hielt die Hände unter
die Öffnung. »Na los, ich muss zur Bahn!«

Doch der Mann rührte sich nicht. »Ananas aus Dosen?«, fragte er. »Jeden Tag? Na, wenn das kein Luxus ist. Und wir müssen raus in die Wiesen, Gänseblümchen knabbern. – Ich geb dir kein Wasser, nicht ohne Becher.«

Der Durstige hob die Brauen. »Jetzt hör schon auf. Woher soll ich den nehmen? Lass es einfach laufen, Mann! Siehst du nicht, dass alle warten?«

»Na und, ist das mein Problem? Trinkwasser ist kostbar, das musst du doch wissen, wenn du vom Lager kommst. Trinkwasser darf nur in Behältnissen ausgegeben werden, damit keine Verluste entstehen. Ich hab meine Vorschriften.«

Ungläubig schüttelte Walter den Kopf. Er ballte die Hände, machte einen Schritt über den Schlammfleck vor dem Hydranten und fragte durch die Zähne: »Und von wem kriegst du die, bitte schön? Von deinem Führer? Der ist aber tot, falls du es noch nicht gehört hast!«

Mit einem Fuß stand er auf der Schuhspitze des Mannes, und der zog das Kinn an den Hals und verengte die Augen. Sein Atem roch übel. »Ja, was gibt das jetzt? Du willst mir drohen, du dreckerter Ami? Und tätlich werden obendrein? Da leck mich aber mal am Arsch!«

Ein Murren und Fluchen wurde laut, als er den Vierkantschlüssel vom Hydranten riss und hinter seinen Gürtel schob. Das Kreuz durchgedrückt, die Arme vor der Brust verschränkt, hob er das Kinn und rief: »Hört zu, amtliche Mitteilung: Hiermit wird die Trinkwasserversorgung wegen Störung der öffentlichen Ord-

187

nung bis auf weiteres unterbrochen. Als Wasserwart habe ich das Recht dazu. Einsprüche sind schriftlich an die Stadtverwaltung zu richten. Die nächste Versorgungsstelle befindet sich am Stachus.« Er machte eine Kopfbewegung. »Bedankt euch bei dem ...«

Dann kletterte er über einen Ziegelhaufen und verschwand im Keller eines Hauses, von dem nur noch die Brandmauern standen. Durch das Kirchenschiff auf der anderen Seite des Platzes flogen Krähen, und Walter, dem das Hemd auf dem Rücken klebte, blickte sich um. Ein paar zerlumpte Männer traten aus der Reihe, kamen schweigend näher, ein Greis in knielangen Lederhosen stellte seinen Eimer in den Staub. Der Blick unter den weißen Brauen war schiere Wut.

»So ein Depp, so ein damischer!«, sagte er. »So ein Hundsbeutel! Des san die Rüben ...« Er schob den Jungen sanft zur Seite und drehte sich um. »Was brauch'mer da, Huberle? An Engländer oder an Franzos?«

Der Angesprochene, in kurzen Hosen auch er, die Finger voller Gichtknoten, kramte in einem Wandersack. »Ja, was weiß denn i! A Zangerl halt.« Er zog einen fabrikneuen Verstellschlüssel hervor, klopfte damit gegen das Ventil. »Schau, des is Aluminium. Schon wie Eisen, kannst nussen damit, aber Aluminium, verstehst? Todmodern. So, wie hamers – links rum oder rechts?«

Er leckte sich die Schnurrbartspitzen und setzte das Werkzeug an, wobei er einen Fuß gegen den Hydranten stemmte, und nach einem leeren Gurgeln in der Leitung, aus der es nach warmem Gummi roch, schoss das Wasser in hohem Bogen über das Pflaster. Die Menschen stöhnten erleichtert auf und klatschten, und eine der jungen Frauen, das Blondhaar im Nacken eingerollt, reichte Walter ihren Krug.

Als läge noch eine andere, unversehrte Erde unter all den Trümmern, dem Staub, spülte der breite Strahl einen Mosaikstern frei, die Himmelsrichtungen, und nachdem er getrunken und sich einen Schwall über das Gesicht gegossen hatte, fragte sie leise: »Wie schmecken denn Ananas in Dosen?« Mit dem kleinen Finger kratzte sie sich einen Nasenflügel. »Süß?«

Am Brustteil des Dirndls hing ein Edelweiß aus Horn, und er gab ihr das Gefäß zurück, wobei sich ihre Hände flüchtig berührten. »Ja«, sagte er und spürte, dass er rot wurde. »Jeden Tag etwas süßer. Wir haben Gras dazu gegessen, sonst wär's nicht auszuhalten gewesen.«

Sie lachte, weil sie das für einen Witz hielt, und er nickte ihr zu und machte sich auf den Weg zum Bahnhof. Auf beiden Seiten der Straße mehrstöckige Ruinen, und an manchen Innenwänden hingen noch Bilder oder Uhren, ein Handtuch neben einer Spiegelscherbe. Vor den Steinhaufen hatte man Schienen für die Loren verlegt, mit denen der Schutt abtransportiert wurde, was die Straße verengte. Wenn ein Militärlaster hupte, mussten die Passanten zwischen die Trümmer treten, wobei sie sich an den verbogenen Gas- oder Wasserrohren festhielten und die Hälse reckten, um zu sehen, was sich auf den Ladeflächen befand. Viele winkten oder tippten sich mit zwei Fingern an die Lippen, eine stumme Bitte um Zigaretten, doch die GI's erwiderten selten den Gruß, nur bei den Kindern. Manchen warfen sie Drops oder Orangen zu.

Der Bahnhof war für Zivilpersonen gesperrt. In der hitzeflirrenden Luft über den Gleisen schienen sich die Strom- und Signalmasten zu bewegen oder blickweise aufzulösen. Kein Glas mehr in den Rundbögen der überfüllten Halle, deren Gewölbereste hier und da von Fichtenstämmen gestützt wurden, kaum eine Mauer ohne Risse. Die Fenstergitter, in der Glut der Bombennächte zu bizarren Formen zerschmolzen, hingen wie Pflanzen aus Stahl von den Brüstungen, aber trotz der unzähligen Einschusslöcher ließ sich die Schrift über den Schaltern noch entziffern: »München, Hauptstadt der Bewegung!«

Nonnen verteilten Tee und getrocknete Apfelringe an die entlassenen Soldaten, Hunderte aus verschiedenen Waffengattungen. Sie hockten oder lagen zwischen Schutt und Scherben auf den Bahnsteigen und blickten stumm in die Richtung, aus der ihr Zug kommen sollte. Verbogene Schienen ragten in den Himmel, Schwellen baumelten daran. Die Seitenwände ausgebrannter und vom Gleis gekippter Waggons waren mit Kreide beschriftet, Adressen, Suchmeldungen, Nachrichten an Vermisste. Unter einem durchgestrichenen »Heim ins Reich« stand »Heim zu Muttern!«

Endlose Trümmerfelder auch in Essen; die Innenstadt sah aus, als wäre sie noch bombardiert worden, nachdem kein Stein mehr auf dem anderen lag. Scheinbar unversehrt aber ragte die riesige Synagoge an der Steeler Straße in den Sommerhimmel, und wären nicht die Ruß- und Rauchspuren über den Fenstern gewesen, älter als der Krieg, hätte einem so etwas wie Gnade in den Sinn kommen können, eine schützende Macht.

Die Straßenbahn nach Borbeck war überfüllt. Man stand gedrängt in zerbeulten Wagen ohne Scheiben, und Walter fuhr fast zwei Stunden lang: Immer wieder musste man aussteigen und sich zu Fuß durch Krater voller Moniereisen, zerbrochener Rohre und Fäkalschlamm mühen, um auf der gegenüberliegenden Seite in eine andere Tram zu klettern. Die Persil-Reklame auf den grünen Wagen war zerkratzt oder von den Feuerstürmen blasig verbrannt worden, die Holzsitze herausgerissen. Den schweigenden Menschen sah man den Hunger an, und auch die Schaffner hatten knochige, vor Gram verfinsterte Gesichter. Doch der Klingelton, das lange Schrillen, wenn sie an der Dachkordel zogen, klang noch genauso silberhell wie früher.

Vor dem Lito in Frohnhausen, in dem nur englischsprachige Filme gezeigt wurden, versuchten Kinder die Kaugummis vom Pflaster zu lösen, und Walter fuhr bis zum Stift und ging Richtung Klopstockstraße. Aus Wellblech und Dielenbrettern zusammengenagelte Verschläge ragten hinter den Trümmerhaufen hervor, der Rauch von Holzfeuern beizte die Luft. Manche Ruinen, mit Maschendraht bespannt, wurden als Ställe genutzt; auf Schränken, Kommoden und weiß verkoteten Sessellehnen hockten Hasen oder Hühner, und in einem Badezimmer stand eine magere Kuh, fraß Heu aus der Wanne.

Im Schutt des Hauses, in dem Walter seine Kindheit verbracht hatte, glänzte hier und da eine blaue Kachel aus dem Flur, und er stieg auf den Ziegelberg und blickte sich um. Alle drei Schiffe von St. Dionysius waren bis auf wenige Spitzbögen zerstört, doch der Turm stand. Auch der hohe Schornstein der Bäckerei Linde wurde von den Stahlringen gerade noch in Form gehalten. Vor der neu vergitterten Tür mit der Aufschrift »Essenausgabe / Food Distribution« wartete eine Menschenmenge, und die Töpfe und Milchkannen knallten, wenn die Kinder sie in ihrer Langeweile gegeneinanderschlugen. Dann flogen Spatzen aus den Sträuchern auf.

»Hömma, Uschi, komma wacker bei die Omma!«, rief eine ältere Frau, und das Mädchen, das ihn angestaunt hatte, drehte sich um. Auch die Friedhofsmauer war getroffen worden, doch das Torhaus mit dem Beerdigungsinstitut im Parterre sah aus wie immer. Nirgendwo ein Riss im Putz oder im Firmenschild aus schwarzem Glas, keine Schieferplatte fehlte in dem Dach mit den Gauben, und er drehte an der rostigen Klingel, klopfte sich den Staub von der Jacke und schrak zurück.

Als hätte sie wartend dahinter gestanden, riss seine Schwester die Tür auf und sagte leise, fast hauchend in das Vakuum hinein, das jähe Aussetzen der Zeit: »Ich wusste es, ich hab's geträumt!« Sie lächelte strahlend. »Meine Feder hat dich beschützt!«

Einen geisterhaften Moment lang sah er das Gesicht ihres Vaters, und sie sprang von der Stufe in seine Arme. Die Schatten in den Augenwinkeln kamen ihm dunkler vor, die Schultern knochiger, und er drehte sie so heftig durch die Luft, dass ihre Zöpfe flogen und die samtenen Hausschuhe auf das Pflaster fielen. Und kaum waren sie wieder bei Atem, rümpfte er die Nase und fragte: »Wie riechst du denn, sag mal? Schmökst du etwa?«

Unter einem geblümten Kittelkleid trug sie eine Trainingshose, und sie wies auf die Fenster über dem Firmenschild, Bestattungen Hess. »Ich doch nicht«, sagte sie. »Mamas Kerl hat Geburtstag, wird hundertachtzig oder so. Ist aber schon schicker, brauchst ihm nicht zu gratulieren. Der schnarcht auf dem Sessel, und die anderen trinken seinen Bols und rauchen ihm alle Stumpen weg.« Sie griff sich zwischen die Lippen, zog einen grauen Gummi lang. »Willst du den mal probieren? Ist erst eine Woche alt und noch ziemlich weich. Ich drücke ihn nachts in einen Eierbecher voll Zucker, da saugt er sich voll und schmeckt wieder süß.«

Er verzog das Gesicht, und sie setzten sich auf die Treppe. »Die Schule ist immer noch geschlossen, vielleicht können wir im August wieder hin«, plapperte sie weiter. »Das ganze Dach ist futsch, stell dir vor. Inzwischen bring ich mir selbst was bei, vor allem Englisch. Wir hatten nämlich zuerst die Amis, mit tollem Swing, und jetzt haben wir die Tommys. Das ist insofern schlecht, weil die ziemlich langweilig sind, kaum Musik hören und wie Teekannen durch die Nase sprechen. Aber ihre Schokolade schmeckt natürlich *spectacular*!«

Ein kleiner Junge, der auf seinem rostigen Rad über den Bürgersteig fuhr, bremste abrupt und umkurvte ihre bestickten Pantoffeln. »Das wollt' ich dir auch geraten haben!«, rief sie ihm nach und zwinkerte dem Bruder zu. »Demnächst komme ich übrigens in den Norden. Es gibt da ein Sanatorium in Glücksburg. Der Husten hat sich zwar gebessert, aber Doktor Böhmer sagt, dass sie bald schon mehr Zechen in Betrieb nehmen werden als vor dem Krieg. Wir sind nämlich der Motor der Wirtschaft, und dann ist die Luft wieder so, dass man keine Wäsche raushängen kann.«

Sie reckte die großen Zehen durch die Löcher in ihren Socken, zog sie zurück. »Also, im Krieg hatten wir gute Luft, das muss man schon sagen. Wenn nicht gerade alles gebrannt hat. Ich konnte immer durchatmen, auch nachts, und kriegte keine Schweißausbrüche mehr. Richtig gesund kam ich mir vor.« Sie rupfte etwas von dem Gras neben der Treppe aus, ließ es über seine Finger rieseln. »Und du? Hast du eine Freundin da oben? Ich wette, du hast eine! Ist sie nett?«

Ihr Bruder grinste, nickte, und ohne weiter darauf einzugehen, neigte sie den Kopf und versuchte eine Kaugummiblase zu bilden; aber die Masse war wohl doch zu zäh, sie kriegte nur ein hartes Knallen hin. Dabei hielt sie sich die Zöpfe unterm Kinn zusammen, und plötzlich wurden ihre Augen feucht und die Lippen schmal. »Das mit dem Papa ist schon furchtbar, oder? Hätte nicht gedacht, dass er mir mal fehlen könnte. Hat Mama dir eigentlich das Telegramm geschickt? Ich weiß das gar nicht mehr, war so durcheinander. Am selben Tag wurde nämlich mein Freund aus dem Keller gegraben, der Micky Berg, erinnerst du dich? Dem du deinen Trix-Baukasten geschenkt hast? Das war ein Feiner, mit dem bin ich jeden Morgen zur Schule. Ich musste immer seine Brille halten, wenn er sich für mich geprügelt hat. Und dann schaufeln sie ihn frei, und er sitzt noch auf der Bank, ganz kalkig und ohne seine Gläser. Sah aus wie ein alter Mann.«

Sie schniefte, schluckte, spie den Gummi ins Gras, und er legte ihr einen Arm um die Schultern, zog sie an sich. Tränen tropften auf seine Jacke, kullerten über das imprägnierte Gewebe, und eine Weile sprachen sie nichts, blickten über die Ziegelhaufen zum Spital. Von Lenis Scheitel und den Zöpfen standen feine Härchen ab, die ihn am Hals kitzelten, und es war so still in der Straße, dass er ihren Atem hören konnte, das leise Pfeifen unter dem Brustbein.

»Bleib doch hier«, sagte sie schließlich und zog den Rotz hoch. »Sie suchen überall Kumpel. Als Bergmann verdienst du gut und kriegst Zusatzverpflegung, sogar Butter und frische Milch, nicht dieses Pulverzeug. Die Knappschaft gibt dir eine Wohnung, und wir könnten zusammenziehen. Ich würde putzen, Wäsche waschen und dir Dubbel machen. Ich bin stark, kannst du glauben, und dann wäre ich endlich von dem Fettsack weg. Ich meine, der Papa war schon schlimm, aber der ...«

»Wieso?«, fragte Walter, beugte den Oberkörper zurück und sah sie an. »Was macht er denn? Schlägt er dich etwa? Oder fummelt er rum?«

Leni grunzte. »Na, das sollte er mal versuchen! Dem würde ich das Pittermesser in die Futt rammen. Nein, er ist einfach eklig, weißt du. Beim Essen schmatzt er wie ein Schwein, das Fett tropft ihm vom Kinn, und kommt man ins Bad, steht er mit der Hose auf Halbmast da und guckt sich seine Kacke an. Außerdem hat er so eine Schachtel mit Uhren und Ringen von den Toten, stell dir vor! Warum soll man die mit begraben, sagt er immer, die Maden tragen keinen Schmuck. Mein lieber Scholli ...«

Sie sah zu ihm auf, verschränkte ihre Finger mit seinen und fragte leise, fast zag: »Wie lange bleibst'n?«

Walter zuckte mit den Achseln. »Je nachdem, wie die Züge fahren. Ich hab meine Arbeit da oben, Leni, man hält mir die Stelle nicht ewig frei. Aber wenn du zur Kur kommst, können wir uns länger sehen, versprochen. Glücksburg liegt ja nicht aus der Welt. Ich hol dich mit dem Trecker ab und zeig dir das Gut und die Tiere und so. Vielleicht sind die beschlagnahmten Pferde auch schon wieder zurück.«

Sie verzog das Gesicht, als schiene ihr Sonne in die Augen. »Mann, red nicht mit mir, als wäre ich ein Gör! Ich werd dreizehn! Und ich war schon mal verliebt, hab das ganze Kissen vollgeheult. Hier gab's so einen Captain, David Reeve, ein richtig Schöner. Young lady, hat er oft gesagt, take care, young lady. Der hatte sogar Kaugummis mit Erdbeergeschmack und immer saubere Fingernägel. Aber jetzt bin ich drüber weg. Die Welt ist einem nichts schuldig, weißt du, schon gar keine Romantik. Ein Mal werde ich vielleicht einen Mann küssen, ein einziges Mal, nur um zu sehen, wie es ist, und nach der Schule fange ich drüben bei den Nonnen an.« Sie stieß ihm den Ellbogen in die Seite, schlüpfte in ihre Schuhe und lächelte breit. »Du willst mich nicht zufällig küssen, oder? Na komm, gehen wir rauf. Gleich gibt's was zu futtern.«

Im Parterre des schmalen Hauses lehnten verschiedenfarbige Sargdeckel an der Wand, Preisschilder hingen an den Kreuzen. Hinter dem Büro mit der Adler-Schreibmaschine führte eine Treppe vor eine matt verglaste Tür im ersten Stock. Die Blätter des Gummibaums im Korridor glänzten ähnlich poliert wie das Linoleum, doch das Wohnzimmer, in dem gut zwanzig Menschen saßen und sich halblaut unterhielten, war voller Rauch. Gelb die Gardinen, und seine Schwester wies auf einen kahlen Mann im Sessel neben dem Fenster. Das Kinn auf der Brust, unter der sich ein hoher Bauch wölbte, die Hände im Schoß, schien er zu schlafen. Der Atem bewegte die Spitze des Stecktuchs in seinem Sakko, ein Daumen zuckte. »Das ist er also«, flüsterte sie, und ein paar Gäste drehten sich um. »Mamas Goldesel.«

Nicht nur die Männer, auch einige Frauen rauchten Zigarren, und alle tranken Wein mit Fruchtstücken; auf dem Tisch stand eine bauchige Bowle aus Granatglas. Außer Herrn Moritz, den alten Schneider aus der Kraftstraße, kannte Walter jedoch niemanden, und er gab ihm die Hand und neigte sich hinab, um seine freudige, wegen eines Halsleidens nur gehauchte Begrüßung zu verstehen. Dabei prüfte der zarte Greis den Stoff seiner Uniformjacke zwischen den Fingern, und er wollte ihm gerade die Herkunft erklären, als seine Mutter in den Raum trat.

Fülliger noch als vor dem Krieg, hatte sie sich die Lippen geschminkt und die dunklen Haare onduliert und sah ihn zunächst nicht, wie es schien. Sie blinzelte in den Rauch. Zu einem ärmellosen roten, mit einer Perlenbrosche verzierten Kleid trug sie eine weiße Schürze und sagte: »Räumt mal die Tischmitte frei!« Eine große Servierplatte hielt sie in den Händen, knusprig gebratene Hühnerteile und panierte Schnitzel lagen darauf, und während die Gäste ihre Tassen, Gläser und Aschenbecher zur Seite schoben und Servietten auseinanderfalteten, hakte sich Leni bei dem Heimgekehrten ein und sagte: »Jetzt guck mal, Frau Urban, wen ich uns hier bringe!«

Doch ihre Mutter stellte erst die Platte ab, ehe sie aufsah, und da wusste Walter, dem das Schlucken schwerfiel, dass sie ihn längst bemerkt hatte. Obwohl gerade fünfundvierzig Jahre alt, hing ihre Halshaut müde herab, und sie stutzte gespielt, riss den Mund weit auf. Das Staunen mit erhobenen Brauen ließ ihre Stirn noch niedriger erscheinen, und das theatralische Zusammenschlagen der goldgeschmückten Hände berührte ihn peinlich, fühlte er doch, dass das nur eine Darbietung für die Gäste war. Dunkler Flaum wuchs um ihre Lippenwinkel herum, und die schwarzbraunen Augen waren kalt wie immer; er konnte sich nicht darin sehen.

»Na, hast du Töne? Wo kommt denn der jetzt her?«, sagte sie schließlich und machte einer Frau Platz, die Schüsseln voller Salat aus der Küche trug. »Hättest du dich nicht anmelden können?«

Auch die Haut an ihren Oberarmen wurde schon uneben und schlaff, und sie verrückte einen Blumenhocker und musterte ihren Sohn von den Haaren bis zu den Stiefeln. Dabei schien ihr momentlang zu gefallen, was sie sah; Trachten, Livreen und Uniformen fand sie seit jeher »fesch« oder »schneidig«, und sie schmunzelte amüsiert, nagte innen an der Lippe. Aber dann stemmte sie die Fäuste in die Hüften, blickte kopfschüttelnd in die Runde, wo es keinen freien Stuhl mehr gab, und stöhnte hinter den Zähnen: »Mann, Mann, Mann, wo bringen wir den jetzt unter? Schon wieder ein Esser mehr …«

Jemand lachte, der Schlafende erschrak, öffnete die geschwollenen Lider, und Walter, der gerade auf seine Mutter zugehen wollte, ließ die Arme wieder sinken. Ihr Blick war unstet, mied den seinen, in den Stirnfalten glänzte Schweiß, und lächelnd stieß er etwas Luft durch die Nase, gab Leni einen sanften Klaps und drehte sich um. Die Haustür stand noch offen, das Klingeln des Straßenbahnwagens, der einen Anhänger voller Schutt zog, hallte im Treppenflur wider, die Räder kreischten in der Kurve.

Am Bordstein spielten Kinder mit Geschosshülsen und Splittern, die sie wie Gedecke angeordnet hatten, und seine Schwester riss das Fenster auf, beugte sich über die Brüstung, rief ihm etwas nach. Doch er verstand es nicht mehr. Er sprang auf die Plattform und winkte.

Der Weizen war fast reif, der Himmel blau, die Schwalben flogen in großer Höhe. Erstaunlich viele Kühe grasten auf den Wiesen längs der Eider, neben den schwarz gefleckten Holsteinern auch Nordische Rote mit kurzen Hörnern. Die Luft über den Blumen funkelte von Insektenflügeln, neue Bienenkörbe standen unter den

Fichten am Park, und das einstmals quietschende Wetterblech auf dem Turm des Gutshauses war durch eine britische Flagge ersetzt worden.

Der Bus hielt vor dem Pferdestall, dessen Dach man gerade neu deckte. Das Geräusch der Holzkellen, mit denen die Handwerker das Reetgras in Form klopften, hallte zwischen den Mauern wider, herumliegendes Häcksel staubte auf bei jedem Schritt. Die ehemalige Futterküche mit ihren schimmeligen Mauern hatte man abgerissen, und Walter blickte in das offene Tor der Schmiede. In der Esse, unter einer weißen Ascheschicht, gloste eine Handvoll Kohlen, im Rauchfang hing eine angeschnittene Cervelatwurst, doch nirgendwo war ein Mensch zu sehen.

Vor dem Gutshaus ein Gerüst. Die gekehlten Säulen des Portikus und das Wappen mit dem Hengst unter den Sicheln waren ausgebessert, die zerschossenen Fenster neu verglast und die Lamellenläden grün gestrichen worden. Stockmalven, Rosen und Rittersporn blühten neben der Treppe, und er hob den schweren Klopfer an und ließ ihn gegen die Tür fallen. Doch obwohl irgendwo im ersten Stock eine Schreibmaschine klapperte, öffnete niemand.

Er ging durch den Schatten der Hoflinde und trat in den Kuhstall. Mehrere Handwerker, Klempner wohl, schraubten vernickelte Leitungen an die Wände und unter die Decke. Der große Raum war leer, nur in der Bullenbox stand ein Tier, ein Weißblauer Belgier mit hellen Wimpern, der mit seinem langen und breiten Rücken und den muskelbepackten Hüften gut doppelt so viel wie gewöhnliche Stiere wiegen mochte. Kleie klebte an seinem Maul, und er schnaufte leise, als Walter ihm den Schopf kraulte, während er die Arbeiter nach Thamling fragte. Auf dem Heuspeicher fiepten junge Schwalben.

Niemand wusste, wo der Verwalter war. Er stieg über die neu gezimmerte Außentreppe, auf deren Geländer Socken und Hemden in der Sonne trockneten, zu den Melkerstuben hinauf. Im Flur war es fast dunkel, und vergeblich drehte er an dem Schalter neben der Tür; in der rostigen Fassung steckte keine Birne. Doch dann wurde unter ihm geschweißt, grellblaues Licht blitzte durch die Bodenfugen, und er konnte in die Schlafräume sehen, die man inzwischen als Aktenlager und Abstellkammern nutzte. Auch neben seinem Bett waren Truhen und Kartons, Nachtschränke ohne Schubladen, alte Waschgeschirre und ein Fahrradgestell bis unter die Schräge gestapelt.

Die Schweißflamme knisterte, die Spinnfäden schimmerten silbern, und er blieb einen Moment vor dem Verschlag stehen, den Fiete bewohnt hatte, betrachtete die Bilder an der Wand. Es waren Ausschnitte aus Zeitungen und Illustrierten, eine halbnackte Tänzerin, der Schattenriss eines Dichters oder Philosophen mit Zopf, der Hamburger Hafen bei Nacht. Unter der Decke hing noch der kleine Korb, in dem er stets ein paar Äpfel gehortet hatte, sicher vor Mäusen, und Walter machte einen Schritt über die Schwelle.

Alte Seegrasmatratzen lagen in dem Raum, ein hoher Stapel, der Wandschrank ließ sich nur handbreit öffnen. Ein Geruch nach Kampfer und ranzigem Melkfett schlug ihm entgegen, während er ins Dunkle langte,

wobei er unwillkürlich die Augen schloss. Blechge-
schirr klapperte, ein Buch schlug um, und plötzlich
fühlte er den Arbeitspullover seines Freundes unter
den Fingerspitzen, die löchrige, von einem Bügel aus-
geformte Schulter, und zog ihn hervor.

Frau Isbahners Katze überquerte den Hof, ein Eichelhäher flog aus der Linde. Zwischen den Ställen, ihren
dicken Ziegelmauern, war das Geräusch eines Motors
zu hören, und der gehobelte Handlauf der Außentreppe vibrierte leise, als Thamling auf einem grün lackierten Traktor mit der Aufschrift »John Deere« um die
Ecke bog. Der schräg gestellte Heuwender dahinter
war annähernd fünf Meter lang, die Spitzen der spinn-
beinartigen Kreisel glänzten in der Sonne, und der Alte
beschirmte sein Gesicht mit der Hand und rief: »Ist
das nicht unser Ata? Donnerwetter, bist also heil geblieben?«

Flimmernd die Luft über der Haube und um die
senkrechten Auspuffrohre herum, und er steckte den
Schlüssel in die Brusttasche seines Overalls, stieg über
die Anhängerkupplung und gab ihm die Hand. Die
Augen tränten vom Fahrtwind, und der weiße Schnäu-
zer war unter der Nase gelb vom Nikotin. »Etwas
mager, aber na ja … Dich päppeln wir schon wieder
auf.« Er blickte auf den Pullover in seiner Ellenbeuge.
»Schöne Scheiße, das mit dem Lütten, oder? Mensch,
der hatte immer nur Flausen im Kopf. Aber was nützt
alle Klugheit, wenn man nicht weise ist? Komm, ich
hab Kohldampf, lass uns was essen.«

Sie gingen am offenen Schweinestall vorbei, in dem
wieder alle Boxen gefüllt zu sein schienen. Er schloss

die Tür an der Giebelseite des Gutshauses auf und sie wuschen sich die Hände über dem Spülstein. In der Küche sah alles unverändert aus, und wie stets im Sommer war sie angenehm kühl. Thamling füllte einen Krug mit Leitungswasser, stellte eine Flasche Kümmel und zwei Gläser auf den Tisch und holte einen Laib Brot, ein Stück Schinken und einen geräucherten Aal aus der Speisekammer, und nachdem Walter Teller und Bestecke aus dem Schrank genommen hatte, setzten sie sich und begannen zu essen.

Die hohen Bäume ließen nur wenig Sonne in den Raum, in dem ein spiraliges Klebeband voller Fliegen von der Decke hing. Nicht alle waren tot, hier und da bewegte sich ein Bein, ein Flügel, manchmal konnte man ein verzweifeltes Summen hören. Dann war es wieder still, sah man von dem Ticken der Standuhr ab, und der alte Mann lächelte milde, als er bemerkte, dass Walter immer wieder an den Lebensmitteln roch, sogar an der Butter, und die Krumen mit dem Daumen auftupfte. Er zerschnitt ein paar gelbe Vorjahresäpfel und verteilte die Stücke auf ihren Tellern.

Auch er wirkte hagerer, die Augen lagen in schattigen Höhlen; doch seine Hände waren groß wie ehedem. Das Pinnchen sah winzig aus zwischen den Fingern, und er trank es aus, ächzte leise und füllte es noch einmal. Dabei blickte er in den Park, in dem geschorene Schafe grasten und zwei englische Offiziere an dem Steintisch unter der Eibe Platz nahmen. Ihre Mützen und die Stöcke mit den Elfenbeingriffen lagen neben ihnen auf der Bank. »Jede Knochenarbeit ist besser als Krieg, oder? Was immer du erlebt hast, es reicht für den Rest deiner Zeit, wirst sehen. Wie alt bist du jetzt, zwanzig?«

Walter, der den Mund voll hatte, schüttelte kauend und schluckend den Kopf, und der Alte zog ein zerdrücktes Päckchen Zigaretten hervor. »Achtzehn erst? Der Teufel soll die alle holen!« Das Messingpendel in der Ecke setzte aus, und dem jähen Schnurren der Zahnräder, dem so genannten Atemholen der Uhr, folgte der Stundenschlag, zwei Mal. »Na«, murmelte er und steckte sich eine Chesterfield an, »die meisten hat er ja schon ...«

Die Uhr tickte weiter, und ein Lastwagen fuhr auf den Hof und hielt vor dem Schweinestall. Vier Soldaten sprangen aus dem Führerhaus und noch einmal so viele aus dem dazukommenden Jeep, dessen lange Heckantenne an die Frontscheibe gebunden war. Die Männer streiften sich Handschuhe über und lehnten ein paar Bohlen mit aufgenagelten Leisten an die Ladefläche, ehe sie in dem alten Gebäude mit den kreuzförmigen Luftlöchern in der Mauer verschwanden. Aus dem Funkgerät kam Jazz-Musik, Trompetentöne, und kurz darauf trieben sie eine kleine Herde scheckiger, an den Vorderfüßen gefesselter Schweine durchs Tor. Während einige Soldaten sie mit Forken und Knüppeln traktierten, zogen andere sie an den Ohren die viel zu steile Rampe hinauf, und als einer ausglitt auf dem verkoteten Holz und einen Kameraden mit aufs Pflaster riss, zwischen die schweren Leiber, wendete Thamling sich ab.

Das Lachen der anderen Männer war lauter als das Quieken der Tiere, und er stieß den Rauch aus und sagte: »Ich weiß, was ich euch versprochen hatte, Walter, und ich würde dich auch sofort wieder nehmen. Keiner war so verlässlich. Aber ich hab hier nichts mehr zu entscheiden. Wir produzieren fast nur noch für die Alliierten, wie du siehst, und die stellen alles auf Maschinen um. Bei dreihundertfünfzig Kühen, die wir bis zum nächsten Frühjahr haben sollen, ist das nicht mal unvernünftig. Du bräuchtest unzählige Fachkräfte, und wir würden uns dumm und dämlich an Löhnen zahlen ... Lieber einmal kräftig investieren.«

Die Offiziere draußen blätterten in Akten, und Walter trank einen Schluck Wasser und sagte: »Dreihundertfünfzig Kühe? Und dazu die ganzen Kälber jedes Jahr? Aber wo sollen die denn hier weiden, Herr Thamling? Die fressen das Gras ja schneller, als es wachsen kann.«

Der Alte nickte melancholisch. »Das hab ich auch gedacht. Aber sie stehen einfach das ganze Jahr im Stall und kriegen zugekaufte Silage aus Südafrika, so läuft das demnächst. Gekalbt wird nur noch mit Flaschenzug oder per Kaiserschnitt, und diese modernen Melkmaschinen kann jeder Vollidiot anstöpseln. Die haben so raffinierte Unterdruck-Ventile, mein lieber Mann ... Kein Preismelker kommt mit denen mit. Wir machen das ja schon draußen, im Vorwerk.«

Walter kippte seinen Schnaps, verzog das Gesicht und starrte eine Weile vor sich hin. Erst jetzt bemerkte er, dass sich doch etwas verändert hatte in der Küche; neben dem Volksempfänger stand ein schwarzes Telefon, an der Wählscheibe steckte ein Schloss. Eine Fliege lief über den Tisch, den Tellerrand, und verschwand in dem spitzen Aalkopf, und er hielt die Finger über das Glas, als der Verwalter ihm nachschenken wollte. »Na, wunderbar«, sagte er mit fahler Stimme, »dann hab ich wohl drei Jahre umsonst bei Ihnen gelernt, oder? Die ganze Büffelei für nichts.« Er kratzte sich das Kinn. »Da geh ich am besten gleich in den Ruhrpott zurück. Die suchen Hauer und Stahlarbeiter und zahlen nicht schlecht. Viele Zechen sind schon wieder geöffnet.«

Thamling nickte, zog die Tischlade auf und nahm einen Zettel heraus. »Kein Krieg ohne Milch, hat man früher immer gesagt, erinnerst du dich? Keine Milch ohne Krieg, wird es bald heißen. Jeder Hof geht dem anderen an die Gurgel, und am Ende bleiben nur Fabriken übrig. Aber das dauert noch 'ne Weile, Junge; die kleineren Betriebe können sich die Maschinen und Kühlanlagen vorerst nicht leisten, die melken weiter mit der Hand. Ist ja auch schonender. Wir müssen jede Woche Zitzen amputieren. Hat's früher nicht gegeben.«

Er leerte sein Glas, schob ihm den Zettel über den Tisch. »Hier, schau's dir mal an. In die Grube kannst du immer noch«, fuhr er fort. »Der Pauly ist ein alter Freund, wir waren zusammen im ersten Krieg, im Lazarett. Feiner Kerl, hat dem Reichsnährstand immer schön in die Suppe gespuckt. Eigentlich züchtet er Traber, richtige Siegerpferde, aber er besitzt auch fünfunddreißig Milchkühe und sucht dringend ein Melker-Ehepaar. Hat mich gefragt, ob ich jemanden kenne, und ich hab ihm von dir erzählt. ›Falls der heil zurückkommt, wäre das der Richtige‹, hab ich gesagt.

›Der ist gewissenhaft und so sauber, den nennen sie Ata ...‹ Sollst dich mal vorstellen. Mach's am besten gleich, bevor noch mehr Flüchtlinge oder Heimkehrer eintrudeln und den Lohn drücken. Kannst dir meinen Wagen nehmen.«

Walter ging ans Fenster, wo es etwas heller war. »Gut Fahrenstedt bei Böklund, Spielkoppel 7, Fernsprecher 230« stand auf dem Zettel, und er rieb sich den Nacken und sagte: »Ein Melker-Ehepaar? Aber ich hab keine Frau, das wissen Sie doch.«

Der Alte erhob sich, schraubte die Schnapsflasche zu, räumte die Teller in die Spüle. »Na, dann heiratest du eben eine!«, antwortete er. »Flattern schließlich genug herum. Die meisten haben einen toten Mann im Gepäck, die warten nur darauf.«

Er schnitt ein großes Stück von dem Brot ab und wickelte es zusammen mit dem Schinkenende in ein sauberes Tuch, schob es ihm über den Tisch. »Die Kleine, die du im Winter hattest, wie hieß sie, Lisbeth, Lisa oder so, die war doch gut, hat hier mit den anderen Weibern gemolken. Frech wie Rotz und immer 'ne Kippe im Mund, aber schneller und gründlicher als ein Geselle. Die solltest du dir schnappen. Arbeitet jetzt als Kellnerin in Kiel, in so 'nem Marine-Bums.«

Er machte eine Kopfbewegung, öffnete die Tür. »Na komm, Junge, ich muss wieder ans Heu, solange es warm bleibt. Nimm dir noch von den Äpfeln. Das Auto steht im Stall.«

Die unbefestigte Straße zwischen den Feldern war von Panzerketten zerwühlt, und wenn er in den Spiegel blickte, sah Walter nichts als Staub hinter dem Bretzelfenster. Der Motor des VW, eines militärgrünen Käfers mit dicken Profilreifen und Allradantrieb, knatterte wie der eines Treckers, und er fuhr langsam an der Eider entlang. Nur träge floss das dunkle Wasser, das den Himmel spiegelte, vereinzelte Wolken, und ein Storch im Ufergras warf den Kopf in den Nacken, wölbte den Hals vor und ließ die roten Schnabelhälften aufeinanderschlagen.

Er fuhr die Anhöhe hinauf und durchquerte den Buchenwald, der lichter geworden war. Weiß und braun ragten die Reste zerbrochener Bäume aus dem Schatten. Manche Stämme waren verkohlt, in anderen steckten Splitter, doch in den Bombenkratern wuchs schon wieder Farn. Arbeiter in blauem Wehrmachtsdrillich hockten auf der Deichsel eines Leiterwagens, aßen ihr Mittagsbrot und sahen ausdrücklich an ihm vorbei. Einer warf eine Handvoll Kräuter in einen Topf, der auf einem Feuer dampfte. Im Gras lag das blutige Fell eines Hasen.

Das Licht in der hoch überwölbten Allee ließ seine Hände am Steuer bleich aussehen, und am Waldrand stoppte er den Käfer und stellte ihn aus. Zwischen abgemähten Wiesen, auf denen das Heu bereits zu langen Schwaden zusammengeharkt war, wand sich die Straße bis zur Fährstelle hinunter. Zwei Frauen mit Fahrrädern warteten dort und schauten den Zimmerern zu, die am Fachwerk des getroffenen Hauses arbeiteten. Das neue Holz war rötlich, hier und da funkelten frische Harztränen in der Sonne, und am First steckte ein Richtkranz aus Tannenzweigen. Bunte Bänder hingen daran.

Kopftücher mit Stirnknoten trugen die Frauen, und während sie miteinander plauderten und lachten, wobei es offensichtlich um die jungen, halbnackt arbeitenden Männer ging, näherte sich die Fähre vom anderen Kanalufer. Ein Teil der Reling fehlte, die Scheiben des Steuerhauses waren zerbrochen und die weißen Wände der Kabine von Einschüssen durchsiebt; sie rosteten schon an den Rändern. Der Motor aber schien neu zu sein, man hörte ihn kaum, und auch die Glocke war eine andere, kleinere, und glänzte wie poliert. Am Seitenmast hing wieder die blaue Gemeindefahne mit den silbernen Seerosenblättern.

Das Wasser rauschte die gepflasterte Zufahrt hinauf, die Landungsklappe wurde gesenkt, und Ortrud trat aus dem Steuerhäuschen und sagte etwas zu ihrem Vater, der die Kurbel bediente. Das Flachshaar im Nacken zusammengebunden, trug sie geflickte Arbeitshosen und ein viel zu großes Männersakko mit aufgekrempelten Ärmeln, und nachdem sie eine Schlinge über den Poller geworfen hatte und ein Motorradfahrer an Land gerollt war, winkte sie die wartenden Frauen an Bord.

Ihr Vater, kaum zu erkennen unter der zerfransten Krempe seines Strohhuts, stopfte sich eine Pfeife, und Walter startete den VW, ließ den Fuß aber noch auf der Kupplung. Das Gesicht verzerrt, griff Ortrud sich mit beiden Händen an die Nieren und drückte das Kreuz durch wie jemand, der Schmerzen hat. Wind wischte übers Heu und wehte ihr in die offene Jacke, und als sie sich die Augen mit den Fingern beschirmte und noch einmal an der Glockenschnur zog, nahm er den Gang wieder heraus. Er biss sich etwas Nagelhaut vom Daumen und wartete unter den Buchen, bis die Landungsklappe hochgekurbelt war und das grüne Wasser aufschäumte über dem Propellerschacht.

Der Motorradfahrer rollte an ihm vorbei, hob eine Hand, doch Walter erkannte ihn nicht hinter seiner Brille. Die Luft schmeckte salzig, die Bänder am Richtkranz flatterten. Die Schwangere in der Kabine trank etwas aus einer Thermoskanne, während sie am Steuer drehte, ihr Vater steckte sich seine Pfeife an, und schräg und fast lautlos trieb das Schiff der anderen Kanalseite zu, an der niemand wartete. Nur ein Briefsack lehnte am Poller, und Walter schloss kurz einmal die Augen, atmete tief. Dann wendete er den Wagen und fuhr zwischen den Koppeln und Wiesen voller sorgfältig zusammengeharkter Nachtschwaden nach Sehestedt, wo es noch eine Fährstelle gab.

Nur wenige Gebäude in der Maklerstraße hatten ein unversehrtes Dach; alte Panzerplanen oder Bleche lagen auf den Mauern. Das Hakenkreuz über der Tür des Kasinos für Marinesoldaten war aus dem Relief gemeißelt worden, doch konnte man das Negativ erkennen in der sinkenden Sonne. Er parkte Thamlings Wagen neben einem Dreiradlaster voller Fässer, auf denen englische Wörter standen. Aus den offenen Fenstern der Gaststätte duftete es nach Bratkartoffeln mit Zwiebeln und Speck. Das Lachen der Männer klang nach Schnaps.

Kaum zu hören in dem Lärm, spielte ein Beinamputierter in einem Rollstuhl Akkordeon. Walter warf ein paar Pfennige in seinen Hut und wand sich zwischen den Tischen und Stühlen hindurch zu dem langen Tresen, dessen spiralige Säulen eine Uhr trugen. Schüsseln voller Gurken, Soleier und Kieler Sprotten standen auf dem Büfett, und die bernsteinfarbene Geleeschicht auf der Fischsülze zitterte, wenn die Kellnerinnen mit den schweren Tabletts daran vorbeiliefen. Eine lächelte ihm zu, doch die meisten Gäste, Werftarbeiter in ölverschmiertem Drillich und Frauen in Kittelschürzen, musterten ihn, seine Uniform, aus Augenwinkeln voller Gift, wie ihm schien. Keiner machte ihm Platz.

Er war ein wenig zu früh. Mit der Stiefelspitze schob er einen Korb voller Schirme zur Seite und bestellte bei der Frau am Zapfhahn, einer ausgemergelten Alten mit Lockenwicklern, ein Bier. Am anderen Ende des Tresens, neben einem Wandtelefon, über dem noch Fetzen des »Feind hört mit!«-Plakates klebten, trocknete Elisabeth Bestecke ab. Zwar blickte sie sich kurz einmal nach ihm um, unterbrach aber nicht ihr Gespräch mit einem Gast, dessen Anzug sehr elegant aussah, maßgeschneidert. Auch sie trug ein neues Kleid und hohe Pumps, doch ihre Strümpfe, Nahtstrümpfe, hatten bereits eine Laufmasche.

»Da-von geht die Welt nicht unter ...« Der Akkordeonist stimmte die ersten, weit ausholenden Takte des Schlagers an, und der Mann leerte seinen halbvollen

Cognac-Schwenker in einem Zug. Pomadige Strähnen im Gesicht, drehte er sich einen Ring vom Finger und ließ ihn in das Glas fallen, und Elisabeth tippte sich an die Stirn und langte über den Tresen, um seinen Schlips zurechtzurücken, den durchgeschwitzten Knoten. Dabei redete sie auf ihn ein, was mahnend aussah, und endlich nickte er traurig, strich ihr über die Wange und torkelte hinaus.

Sie steckte den Ring ein, nahm der Wirtin das fertige Bier ab und kam auf Walter zu. Dabei sah sie jedoch dem Davongehenden nach, als wäre sie besorgt um ihn, und tatsächlich stolperte er kurz vor dem Ausgang über den Hut des Akkordeonspielers, worauf sie einen Mundwinkel verzog. Die schwarzen Haare waren länger als vordem, und sie hatte sich die Brauen abrasiert und schwungvollere Bögen auf die Haut gemalt. Auch der Mund war geschminkt, und erst als sie unmittelbar vor dem Heimgekehrten stand, blickte sie ihm in die Augen. »Schicke Uniform.« Sie stellte das Glas vor ihn hin. »Wo warst'n so lange?«

Das anthrazitfarbene Kleid hatte einen weißen Kragen, und in ihren Ohrläppchen steckten Perlen, goldgefasst. »Ich? Wieso?« Er nippte von dem Schaum. »Auf Kur natürlich. Hast du meine Briefe nicht gekriegt?«

»Welche Briefe?«, fragte sie, zündete eine Zigarette an und musterte die Flaschen in den Regalen, als prüfte sie die Bestände. Dabei zog sie sich etwas Tabak von der Zungenspitze, und vorsichtig befühlte er den Kelchrand.

»Na, ich hab deine ja auch nicht gekriegt«, sagte er. »Sind wahrscheinlich beim Feind gelandet. All die heißen Liebeserklärungen ... Der wird platzen vor Neid. Du hast mir sicher viele geschrieben, oder?«

Sie antwortete zunächst nicht. Den rechten Ellbogen auf den linken Handteller gestützt, die Zigarette in Gesichtshöhe, blickte sie in den Saal. Durch die Pumps hatte sich ihre Körperhaltung geändert, stolzer sah sie aus, mit selbstbewusst herausgestrecktem Hintern, und ihr Busen kam ihm größer vor, was auch an dem sehr spitzen BH liegen mochte. Trotz des Rauchs war ihr Parfüm zu riechen, Uralt Lavendel, und die blauen Augen funkelten streng, als sie fragte: »Wie war das denn jetzt, wolltest du mir nicht was schenken? Irgendwas Besticktes?«

Er zog die Brauen zusammen, trank erneut. »Kann schon sein«, antwortete er und wischte sich mit dem Handrücken über den Mund. »Da hättest du mir aber deine Größe schreiben müssen, oder?«

Schmunzelnd klopfte sie die Asche ab. »O Gott, ich glaub's nicht! Diese Bauern ... Der Mann zieht in 'n Krieg und bringt mir nicht mal 'ne Bluse mit. Aber na ja, die hätte sowieso nicht gepasst. Die Puszta-Weiber sind ganz schöne Kaliber, oder? Rund und feurig, wegen all dem scharfen Zeug. Warst du mit denen auch im Kino? Oder beim Tanz?«

Er zuckte mit den Achseln. »Hab nur Krankenschwestern gesehen. Und Gefangene in den Lagern.«

Ein glatzköpfiger Mann mit weißem Haarkranz horchte auf, neigte sich über die Tresenecke. Groß die vorquellenden Augen, rot unterlaufen. »Falsch war das!«, knarrte er und zog an der Pappspitze, mit der er seine Zigarre rauchte. »Das mit den Juden war grundfalsch und dumm, Kinder, das hab ich immer gesagt. Der Hitler hätte sie nicht in Lager sperren dürfen. Und umbringen schon gar nicht.« Er schob die feuchte Unterlippe vor, blies den Rauch in die Höhe und bewegte den Zeigefinger wie ein Pendel. »Auf jeden Dachboden, in jede Fabrik, auf jede Brücke eine Judenfamilie, oder diese ganzen Politischen, oder die Spione, und ich schwöre euch, keine einzige Bombe wäre auf unsere Städte gefallen!«

Elisabeth, die einen Aschenbecher ausgepinselt hatte, hob den Kopf. Die zarten Falten über ihrer Nasenwurzel schienen ein kleines Rechteck zu bilden, und ihre Stimme klang ungewohnt barsch, als sie sagte: »Es reicht, Willi! Die Politik bleibt draußen, wann kapierst du das endlich! Noch einen solcher Sprüche, und ich zeig dir, wo's langgeht. Dann ist hier Pollackenflachrennen, klar?!«

Sie starrte ihn an, und der Kahle wich zurück. »Jawoll, mein General. Bitte um Vergebung.« Er hielt sich die Fingerspitzen an die Schläfe. »Krieg ich denn noch ein Gedeck?«

Nachdem sie ihm ein Bier und einen Schnaps geholt hatte, stellte sie sich wieder zu Walter. Breite Sonnenstrahlen fielen schräg in den verrauchten Raum und ließen ihn höher erscheinen. Von den Menschen im Schatten waren die Gesichter kaum zu erkennen, und die im Licht sahen aus wie Schatten. Hier und da glühten Zigaretten auf, und obwohl es doch laut war, glaubte Walter das feine Geräusch zu hören, das entstand, als Elisabeth ihre Uhr aufzog. Beide wussten sie nichts zu sagen, lange nicht, aber das Schweigen war nichts Befremdliches, im Gegenteil. Wieder betastete er den Glasrand. »Was ist damit?«, fragte sie schließlich und drückte die Zigarette aus. »Kaputt?«

»Nein«, murmelte er. »Ich wundere mich nur. 's fühlt sich so dünn an, so zerbrechlich.«

Sie hängte ihre Schürze in einen Schrank, blickte in den Spiegel an der Innentür. »So sind Biergläser eben. Die waren immer schon zart.« Das Haar aufgelockert, strich sie sich das Kleid glatt und lächelte ihn an. Über dem weißen Kragen wirkten ihre Zähne grauer, als er sie in Erinnerung hatte. »Komm, ich zeig dir mein Zimmer. Ist gleich hier oben, mit Fenster zur Schleuse und eigenem Bad.« Und während er austrank, machte sie der Frau am Zapfhahn ein Zeichen und fügte halblaut hinzu: »Es gibt zwar nur kaltes Wasser, aber damit verbrühst du dir wenigstens nicht die Füße ...«

Sie hob ein Tresenbrett hoch, kam auf die andere Seite, und Hand in Hand zwängten sie sich durch die Menge. Über eine schmale, mit Kokosläufern belegte Treppe stiegen sie ins Dachgeschoss, wo es gut ein Dutzend Türen gab und Wimpel der Kriegsmarine und verstaubte Schiffsmodelle von der Decke hingen. Eine rötliche Katze kam ihnen entgegen, ein mageres Tier mit zitternd aufgerecktem Schwanz – und huschte erschrocken in eine Abseite, als Elisabeth fauchte. »Hier ist mein Reich«, sagte sie und zog einen Schlüssel aus ihrem Zigarettenpäckchen.

Es war eine kleine Mansarde, kaum mehr als eine Kammer, mit einem verspiegelten Schrank und einem Bett voller Schnitzereien am Kopfteil. An der Wand hing ein Regalbrett, auf einem Stuhl stand eine Blechtasse mit einem Tauchsieder darin, in der Fensternische welkte ein Strauß Rosen. Der Pergamentschirm der Lampe war mit Zahlen beschriftet, Telefonnummern vielleicht, und kaum hatte Elisabeth die Tür geschlossen, zog Walter sie an sich. Er umschlang ihre Taille, doch sie drehte das Gesicht weg, drückte ihn zurück. »He, he! Immer langsam mit den jungen Pferden! Du kratzt ...«

Stöhnend schlackerte sie ihre Schuhe in die Ecke. Dann legte sie die Uhr auf den Nachtschrank, knöpfte sich den Kragen aus dem Kleid und zog zwei weiße Tücher unter den Achseln hervor. Zart wie ein Mädchen wollte sie ihm erscheinen, als sie plötzlich in Strümpfen vor ihm stand und die Finger hinter seinem Nacken verschränkte, um ihn auf ihre Art zu küssen, sehr sanft. Danach waren ihre Lippen blasser, nur noch in den Mundwinkeln haftete etwas Rot, doch das Blau der Augen sah dunkler aus. Sie legte sich auf das Bett und strich die freie Fläche glatt. Seevögel schrien über dem Dach.

»Was wollte denn der Mann mit dem Schlips von dir?«, fragte Walter, hängte die Jacke an die Türklinke, trat sich die Stiefel aus den Hacken und rückte neben sie. Die Flecken auf dem Kissen rochen nach Creme oder Pomade, feine Kiele stachen durch den Bezug. »Wieso schenkt der dir seinen Siegelring?«

Aus dem Bad, das keine Tür, nur einen Vorhang aus gelbem Wachstuch hatte, war ein Gluckern zu hören, in der Küche unter ihnen klapperten Teller, und sie strich eine Fluse aus seinem Haar. »Der Schwarzmarkt-Freddy? Ach Gott, das ist auch so ein trauriger

Fall«, sagte sie. »Ein Suffkopp. Den Klunker lässt er immer hier, damit er morgen eine Entschuldigung dafür hat, wieder in die Kneipe zu kommen. Er macht mir halt den Hof.«

»Ah, ja?« Walter musterte die Wasserränder an der Decke und die Löcher im Verputz, aus denen Strohhalme hingen. An einer Stelle lag das Blechdach frei, seine rostigen Nähte. »Ist bestimmt 'ne gute Partie. Man sieht ihm das Geld an.«

Sie knöpfte sein Hemd auf und betastete die Brust. »Ja, wohlhabend ist er. Und sehr gepflegt. Duftet wie 'ne Drogerie und quasselt bis zur Vergasung. Er sagt, ich wäre sein Traum, und nennt mich immer Gypsy-Queen. Das ist englisch, heißt Zigeunerkönigin.«

»Und warum hast du ihn abblitzen lassen?«

»Woher weißt du denn, dass ich das getan habe? Er ist einer von vielen Verehrern, mein Freund, und ich habe ihm nur gesagt, dass er mir zu klein ist. Dass ich einen großen Mann brauche. Hattest du eigentlich immer schon Haare auf der Brust?«

Er drückte das Kinn an den Hals, blickte an sich hinunter. »Keine Ahnung. Wahrscheinlich … Bei dir darf man auch nicht zu empfindlich sein, oder? Vielleicht wächst der Mann ja noch, oder er hat andere Vorzüge. Bin ich dir denn groß genug?«

Man hörte Schiffshörner in der Ferne, und Elisabeth wurde rot. Aber vielleicht schien das auch nur so; Abendsonne glühte in dem mannshohen Spiegel am Schrank. »Es gibt natürlich Größere …«, murmelte sie und klappte den Saum vor seinem Hosenschlitz um. »Na schau, was haben wir denn hier? Einen echten

217

Reißverschluss?« Mit den Rücken der lackierten Nägel strich sie über die Messingzähnchen. »In Amerika hat man's immer eilig, oder?«

Er zuckte mit den Achseln. »Weiß nicht, war noch nie da. Jedenfalls verliert man weniger Knöpfe.«

Seine Finger zitterten, als er ihr ein paar Haare hinters Ohr legte. Dünn waren die und stumpf von der Lockenschere. »Hast du eigentlich mal über unser Telefonat nachgedacht, Liesel?«

Sie öffnete den Mund, gab sich verblüfft. »Worüber? Ich hab nur ein ›Bin wieder da‹ gehört und so ein Stottern in der Leitung ... War das ein Telefonat?«

Er setzte sich auf, das alte Bett knarrte, und als sie den Kopf hob und die kleinen Augen aufriss, ängstlich wie ehedem, sah er die Schatten der rasierten Brauen unter ihrer Schminke. »Hör zu«, sagte er heiser, »ich hatte nur wenig Münzen, über mir stand ›Fasse dich kurz!‹ und draußen warteten Leute ... Ich meine, wenn du unbedingt willst, machen wir es auch kirchlich. Frau Thamling würde uns ihr Brautkleid borgen. Sie hat's mir gezeigt, es riecht kaum nach Mottenpulver. Und meine Mutter schickt uns sicher Ringe. Wir kennen uns doch schon 'ne Weile, und vielleicht wird's ja was. Zusammen ist jedenfalls vieles leichter, irgendwie auch schöner. Du müsstest nur mit in 'n Kuhstall ...«

Er griff nach ihrer Hand, und ein paar Herzschläge lang sagte sie nichts. Die Locke fiel ihr wieder übers Ohr, und sie schloss kurz die Augen, seufzte tief. »Dunnerlüttchen, das schlägt alles«, murmelte sie endlich. »Sogar den Schwarzhändler. Darauf soll mal einer

kommen.« Obwohl sie amüsiert zu sein schien, sah ihr Blick entgeistert aus. »Du musst aber mit in 'n Kuhstall ... Ich glaub, so einen romantischen Heiratsantrag hat noch keine gekriegt!«
Sie entzog sich seinem Griff, und er sank gegen das Kopfbrett. Hart drückte sich das Relief in den Rücken, die Früchte und Blüten aus Holz. »Ja, und?«
Doch Elisabeth, das Kinn auf die Hand gestützt, war schon wieder mit dem Reißverschluss beschäftigt, zog ihn langsam auf und zu. »Und, was?«, erwiderte sie. »Stell doch nicht so blöde Fragen! Wer heiratet denn mit siebzehn, wenn er nicht muss? Außerdem bin ich froh, endlich in einer Stadt zu sein. Es geht mir gut hier, ich habe Freundinnen, Kleider, hübsche Schuhe. Die Tochter der Chefin ist in Neuengamme geblieben, ich kann alles auftragen. Sonntags spazier' ich zum Hafen, zu den Ozeanriesen, wo mir die Matrosen in ihren weißen Uniformen hinterherpfeifen – und du willst mich zurück in die Jauche holen?«
Er nickte bedächtig. »Der Betrieb ist tipptopp, das glaub mal. Nah bei Schleswig, hab ihn mir gestern angesehen. Fünfunddreißig Milchkühe und ein Bulle, ein preisgekrönter sogar. Mozart heißt er, wie der Sänger. Aber die stellen nur ein Melker-Ehepaar ein – natürlich, um sich den Knecht zu sparen.« Er rutschte tiefer, schmiegte sich an sie. »Wir könnten mietfrei in einem kleinen Haus am Feldrand wohnen, weißt du. Drei schön möblierte Zimmer plus Garten und Deputat, also ein Schwein im Jahr, Gänse, Eier, Mehl. Keiner sagt uns, was wir tun sollen, wenn wir nur melken, den Stall in Schuss halten und die Milch in die Meierei

nach Böklund bringen. Es gibt einen Pferdewagen für die Kannen. Und im Dorfkrug ist jeden Samstag Tanz mit wechselnden Kapellen – dann würde ich sonntags die Kühe allein versorgen, und du könntest ausschlafen. Was meinst du?«

Sie antwortete nicht, schnalzte nur unwillig, und als er wieder Atem holte, packte sie ihn bei den Ohren und flüsterte in seinen Mund hinein: »Halt doch endlich mal den Rand, ja?« Spitz die Fingernägel, ein schmerzhafter Griff, doch die Lippen fühlten sich plötzlich weicher und fülliger an. Sie zog das Kleid über den Kopf, öffnete den BH, er entledigte sich der Hose im Liegen, und dann spürte er die Knöpfe der Strumpfhalter an den Schenkeln, die kühlen Perlonsäume, und ihre schwarzen Locken kitzelten an seiner Wange, als sie sagte: »Und jetzt pass auf ...«

Schatten huschten durch den Raum und wurden zu Möwen, wenn sie den Spiegel streiften. Das Bett wackelte, das Kopfteil schlug gegen den gusseisernen Heizkörper, und Elisabeth, die Zungenspitze zwischen den Lippen, schloss nicht die Augen, während sie sich bewegte, oder nur kurz, im allerletzten Moment, in dem sie ihm den Mund zuhielt. Und schon wenig später lagen sie still nebeneinander, starrten zur Decke und warteten darauf, dass ihr Herzschlag ruhiger wurde, der Schweiß auf der Haut abkühlte und sich die leise Traurigkeit verlor, für die sie keine Worte hatten. Langsam wurde es dunkel.

Sie schliefen wohl eine Stunde lang und wurden wach, als von der Schleuse her ein Lichtschein durch das Fenster fiel. Elisabeth richtete sich auf, rollte die Strümpfe von den Beinen und öffnete den fleischfarbenen Gürtel. Der Bügel, auf den sie ihr Kleid hängte, hatte einen gehäkelten Bezug. Auf dem Flur war das Miauen der Katze zu hören, ihr Kratzen an der Tür, das erst verstummte, als sie einen Schuh dagegen warf. Sie zog eine halbvolle Flasche Wein hinter den Rosen hervor und zeigte ihm das Etikett, einen dicken Mönch. »Sieht der nicht wie der olle Hunstedt aus, der Bauernführer? Das war vielleicht ein Saukerl, unbelehrbar. Den haben seine Zwangsarbeiter gelyncht. Zweimal ist der Strick gerissen, und am Ende mussten sie Zaundraht nehmen.«

Sie biss sich ein Lächeln von der Lippe. Der Korken brach, als sie ihn aus der Öffnung zog, und sie pulte den Rest mit einer Schere hervor, füllte die Blechtasse und hielt sie ihm hin. »Du zuerst, du bist der Gast. Ich hatte schon meinen Servus. Trinken wir auf Fiete.«

Fast schwarz war der Wein, der zwar gut roch, aber seltsam stahlig schmeckte, und sie legte sich wieder neben ihn, schmiegte sich an seine Schulter, kraulte die Haare auf der Brust. Dabei träumte sie aus dem Fenster hinaus, und Walter trank erneut; doch das Gefühl, einen trockenen Mund zu haben, wurde eher noch stärker. Auch die Zähne fühlten sich stumpf an.

»Von der Fahne gehen ...«, murmelte Elisabeth, als wäre das eine fremde Sprache. »Verrückt, oder? Wieso macht der so was, wenn er weiß, wie gefährlich es ist? Der war doch sonst immer so schlau. Konntest du nicht auf ihn aufpassen?«

Er runzelte die Brauen. »Bin ich denn sein großer Bruder? Er kämpfte in einer ganz anderen Einheit.«

Sie sah zu ihm auf. Ihr Lavendelduft war fast verflogen. »Ich hab ihn natürlich gewarnt«, fuhr er fort. »Jeder hatte Angst vor Sibirien, vor Zwangsarbeit und Lager, klar. Doch die Ungarndeutschen versteckten Deserteure nur scheinbar und verpfiffen sie hinterrücks, und die Feldjäger kurvten überall herum und durchsuchten alle Heuschober und jeden Sumpf. Fiete hatte keine Chance in dem Flachland, wo du morgens siehst, wer mittags vorbeikommt. Aber er hörte nicht auf mich; er wollte partout zu seiner Ortrud.«

Sanft strich sie über sein Glied. »Und du? Wolltest du nicht zu mir?«

Etwas von dem Wein tropfte in seine Kehlgrube, und er reichte ihr die Tasse. »Davonkommen wollte ich«, sagte er. »Einfach nur durchstehen, den Wahnsinn. Ich war nicht in vorderster Linie, hab kaum einen Schuss abgefeuert, genau genommen nur einen. Es war also weniger wahrscheinlich zu fallen, als exekutiert zu werden, weil man abgehauen ist.«

Elisabeth setzte sich auf; die Perlen schimmerten matt, das Schleusenlicht schien durch ihre Haare. Fahl die Wangen, starrte sie blicklos vor sich hin, und während sie etwas trank, wurden ihre Augen feucht. »Aber wer«, fragte sie heiser, »wer bringt denn so was übers Herz? Ich meine, die Männer, die ihn erschossen haben, waren das nicht Kameraden, Jungs wie Friedrich? Und die haben keine Skrupel? Die drücken einfach so ab?«

Walter schloss kurz die Lider. »Ja, du bist gut. Was bleibt dir denn übrig? Entweder du führst den Befehl aus, oder du verweigerst ihn. Und das ist dein Todesurteil, ohne Gnade. Da darfst du gleich mit an die Wand. Es gibt nur einen Trost, einen schwachen: In einem der Gewehre steckt immer eine Platzpatrone, jedenfalls wenn ein Kamerad dran glauben muss. So kann sich jeder im Kommando einbilden, er hätte ihn nicht erschossen. Von wegen Kampfmoral ...«

Elisabeth stellte die Tasse neben den Aschenbecher und wartete, doch er sprach nicht weiter. Der Strahler an der Schleuse erlosch. »Warst du denn dabei?«, fragte sie halblaut, flüsternd fast. »Hast du es gesehen?«

Seine Bartstoppeln knisterten unter den Fingern, als er sich übers Kinn fuhr, und es mochte an der plötzlichen Dunkelheit liegen, dass sein Schweigen vernehmlicher war als die Stille im Raum. Das wiederholte Maunzen im Flur änderte daran nichts und auch nicht das Schiffshorn draußen, so nah und derart tief gestimmt, dass die dünnen Scheiben vibrierten. »Ich hab viel gesehen«, sagte er endlich und schluckte. »Zu viel, wenn du mich fragst. Aber das war der Krieg.«

Elisabeth wischte sich die Augen. Einen Moment lang schien sie in seine Antwort hineinzulauschen, wobei sie die untere Lippe über die obere schob, wie oft, wenn sie nachdachte. Den Daumen schon auf dem Schalter der Nachttischlampe, machte sie noch kein Licht; aus dem Fenster blickte sie, auf die ersten Sterne über der Schleuse, von denen einer besonders hell war. Doch dann schüttelte sie den Kopf, eine kurze, energische Bewegung, als striche sie im Innern etwas durch, blies sich eine Locke aus der Stirn und sagte leise: »Armer Kerl. Er hätte was Besseres verdient.«

Noch einmal trank Walter von dem bitteren Wein. »Sicher«, murmelte er. »Wie wir alle.«

Da atmete sie tief. »O nein, du nicht«, sagte sie und knipste das Licht an; wo der Plisseeschirm die Glühbirne berührte, gab es eine verkohlte Stelle. »Du auf keinen Fall, mein Junge. Du hast schon das Beste, nämlich mich!« Lächelnd zauste sie ihm die Haare, langte in den Nachtschrank, in dem Dutzende Zigarettenpäckchen gestapelt waren, und reichte ihm eine Tafel Schokolade. Als sie ins Bad ging, sah er eine glänzende Schliere an ihrem Schenkel. »Wirf das Silberpapier nicht weg«, rief sie hinter dem Vorhang. »Das sammle ich.«

Er fragte nicht, wofür, zerriss die Verpackung. Zu hungrig, um die Cadbury im Mund zerschmelzen zu lassen, kaute er sie gierig wie Brot. Nach Rum und Rosinen schmeckte sie, und während Elisabeth das Badewasser laufen ließ, damit er ihr Pinkeln nicht hörte, roch er noch einmal an dem Kissenbezug und musste niesen. Er zupfte sich ein paar rötliche Katzenhaare von den Lippen und betrachtete ihr Zimmer, den Schrank mit dem Koffer obenauf, den kleinen Tisch unter der Gaube, das Regalbrett an der Wand. Außer etwas Nippes und einer Kerze standen auch Bücher darauf: Ein paar Brockhaus-Bände, »Menschen im Hotel« von Vicki Baum, »Unterm Rad« von Hermann Hesse, die Bibel.

Im Schankraum erklang eine Glocke. Elisabeth wusch sich prustend und bibbernd, und er langte hoch und blätterte in dem alten Lederband. Einen verblassten Goldschnitt hatte er, und manche Ecken waren umgeknickt. Getrocknetes Herbstlaub und ein paar Scheine Inflationsgeld von 1923 rutschten zwischen den Seiten hervor, Millionenbeträge, und als er mit der Hand über einen Psalm strich, konnte er die Buchstaben unter den Fingerkuppen fühlen.

Noch nie hatte er in einer Bibel gelesen. Das Entziffern der Frakturschrift machte ihm Mühe, zumal die folgenden oder vorhergehenden Seiten durch das dünne Papier schienen. Worte wie Hindin oder Leviatan sagten ihm nichts, und oft verstand er den Sinn der Sätze nur vage. Mit ihren gravitätischen Hebungen und Wiederholungen aber schienen sie sein Atmen zu ändern und die Lippen kaum merklich zu bewegen, und er trank einen Schluck und las ein paar Verse im Buch Moses in der Lautstärke, in der er gewöhnlich sprach – wobei ihm der leise Hall in der Tasse klang, als spräche sie jemand mit ihm.

Elisabeth trat hinter dem Wachstuch hervor. »Was sagst du?«

Doch er antwortete nicht, ritzte die Stelle mit dem Daumennagel an und legte die Bibel wieder auf das Brett, das ein wenig schwankte; es hing an Samtkordeln an der Wand. »Die ganzen Schmöker hab ich geerbt«, sagte sie stolz und zog sich ein Nachthemd über den Kopf. Sie hatte die Perlen abgelegt, die Ohrlöcher waren gerötet. »Hier hat mal ein Student gehaust, so ein armer Poet. Da wurde das Bett angeblich nicht kalt. Apropos: Hast du aufgepasst?«

»Worauf?«, fragte er, biss erneut von der Schokolade ab, und sie steckte sich eine Zigarette an. Über ihrer Nasenwurzel gab es eine strenge Falte, doch der schmale Mund schien zu lächeln.

»Na, wunderbar! Und was ist, wenn ich schwanger werde?«

Er zuckte mit den Achseln. »Dann nimmst du zu. Aber nur neun Monate lang.«

»Oho! Der Mann hat Nerven.« Sie blies den Rauch gegen die Lampe. »Der macht einen verliebt und denkt … Womöglich willst du einen Sohn haben, stimmt's? So einen Stammhalter oder Statthalter, oder wie das heißt. Und nachher bauen wir ein Haus, pflanzen einen Baum – klingt sehr aufregend. Magst du dich nicht waschen?«

»Na und? Ist mir gleich«, sagte er. »Kann auch eine Tochter sein. Wäre mir sogar lieber.«

»Nein, nein, du willst einen Sohn, sei ehrlich. Der Sohn des Melkers …« Sie sank auf das Bett und befühlte seinen Arm. »Was soll er denn mal werden? Obermelker?«

Walter nahm ihr die Zigarette weg, machte einen tiefen Zug und staunte, dass er nicht husten musste. »Ist mir egal, was er wird«, sagte er und schmeckte dem Rauch nach. »Das bestimmt sowieso das Schicksal oder die Zeit oder was. Von mir aus kann er alles werden, nur kein Soldat.«

Er zog noch einmal, sah sie an. Trotz der Jugend waren schon zarte Besenreiser auf ihren Jochbeinen zu erkennen. »Also, wie steht's jetzt mit dem Hof, Liesel? Hast du dir was überlegt? Es muss ja nicht für ewig sein. Irgendwann stellen die auf Maschinen um, und wir fahren in den Kohlenpott, da verdient man auch gutes Geld. Und du wärst wieder in der Stadt.« Er räusperte sich. »Wir sollten uns nur mal entscheiden, am Wochenende ist der Erste. Kommst du mit?«

Aus dem Gastraum hörte man keine Musik mehr, keine Stimmen. Auch das Tellerklappern in der Küche war verstummt, und Elisabeth löschte die Lampe, wobei der Schalter kaum hörbar knisterte. Jetzt war es nur einen Lidschlag lang dunkel, und sie schmiegte sich an ihn; er legte eine Hand auf ihre Schulterblätter. Man konnte den Mond zwar nicht sehen durch das Fenster, doch sein Licht färbte den Rauch blau und zitterte auf den Möbelkanten und den Facetten des Spiegels wie der Reflex einer Sehnsucht, die man vor Erschöpfung fast vergessen hatte. Und dann sagte sie leise: »Ja.«

Epilog

Wie oft schon im frühen März Zug gefahren, müde nach einem arbeitsreichen, scheinbar endlosen Winter, dankbar für die Ruhe im Abteil, für den Kaffee, den der Service bringt, und in der Landschaft gierig nach ersten Blüten gesucht. Aber nirgendwo auch nur eine Knospe, ein frischer Halm; auf den Äckern hinter Berlin trockene Erde, in den Gewächshäusern leere Paletten, und die braungrauen Rehe, die in einer Mulde lagern, sind bei näherem Hinsehen Steinhaufen und ihre Schatten. Auch das Schilf an den Baggerlöchern ist noch falb, die Kraft der Sonne reicht nicht aus, das dunkle Wasser aufzuhellen; überhaupt steht demnächst wieder Frost bevor. Bei Magdeburg Reif auf den Gleisen, dünner Schnee, vor Braunschweig eine Wolkenbank. Und doch färbt der innige Wunsch nach Frühling die kahlen Birken am Horizont bereits mit einem Hauch von Grün.

Das Grab meiner Eltern sollte eingeebnet werden – sofern ich mich nicht für eine weitere Pacht entschied. Es wurde von einer Tante gepflegt, der Schwester meines Vaters, die es je nach Jahreszeit mit Stiefmütterchen, Begonien oder Erika bepflanzte und an Allerseelen ein Licht darauf stellte. Eine melancholische Kettenraucherin, die immer wusste, wo der Jägermeister stand, war sie die letzte Verwandte aus der Generation der Eltern und ließ sich weder vom Alter noch von Krankheit oder Einsamkeit den Humor nehmen. Als ich sie einmal ins Café Kloos einlud, legte sie die Zigarette nur kurz zur Seite und sagte kauend: »Der Streuselkuchen ist gut. Den möchte ich auf meiner Beerdigung essen.«

Die Grabstelle lag am Stadtrand von Oberhausen, und da ich ohnehin nach Belgien wollte, hatte ich beschlossen, über das Ruhrgebiet zu fahren. Man konnte an einer Hand abzählen, wie oft ich in den letzten fünfundzwanzig Jahren Blumen auf den Stein gelegt hatte, und ich war mir nicht sicher, ob ich den Pachtvertrag verlängern würde. Außer Tante Leni, die schon signalisiert hatte, dass ihr das Pflanzen und Harken zu mühevoll wurde, und die im Übrigen neben ihrem Mann begraben werden wollte, gab es keine weiteren Angehörigen, die meisten Bekannten der Eltern waren ebenfalls tot – welchen Sinn machte es also, das Grab zu behalten?

Und doch widerstrebte etwas in mir dem Gedanken, es einebnen zu lassen, Aberglaube vielleicht, Angst vor Unglück oder einem stillen Fluch, ich wusste es nicht; ich wollte mich auf dem Friedhof entscheiden. Der Vertrag war noch von meinem Vater unterschrieben worden, wie ich erst jetzt sah, in der zeitlebens von ihm gebrauchten Sütterlinschrift, etwas zittrig schon, der Krebs. Unter den Familiennamen, das Datum und die Nummer der Grabstelle hatte man einen großen roten Stempel gedrückt: *Ruhezeit beendet!*

Vor Bielefeld hatte es tatsächlich zu schneien begonnen, ein dichtes Gestöber, immer wieder war der Zug stehen geblieben. Es dämmerte, als ich endlich in

Oberhausen ankam, und ich brachte meine Tasche ins Hotel Ruhrland und nahm mir ein Taxi, das einzige vor dem Gebäude. »Wohin soll's denn gehen?«, fragte der Fahrer mit dem grauen Pferdeschwanz, der Sudo-ku-Rätsel löste und dabei Radio hörte, ein Schubert-Lied. »Immer der Musik nach«, sagte ich, und er legte die Hände voller Silberschmuck ans Lenkrad, blickte sich über die Schulter um und runzelte die Stirn, was gleich bedrohlich aussah. Unter dem rechten Auge waren zwei Tränen eintätowiert. Doch er grinste, als ich »Zum Friedhof« hinzufügte, »Tackenberg«.

»Fremd bin ich eingezogen, / Fremd zieh ich wieder aus ...« Große Flocken fielen gegen die Scheiben. Auf den stark befahrenen Straßen Richtung Sterkrade blieben sie nicht liegen, oder nur als grauer Matsch, der wegspritzte unter den Rädern und von Plakatwänden tropfte. Als wir aber zum Dicken Stein hinauffuhren, sah es schon anders aus; hier schlingerte der Wagen durch Spurrillen, die immer tiefer wurden, bis der schwernasse Schnee unter dem Bodenblech knirschte und der Fahrer leise fluchte. Langsam rollten wir am Sportplatz vorbei, am Schätzlein-Markt, an meiner ehemaligen Schule. Kein Fußabdruck auf dem weißen Hof, nirgendwo ein Mensch, und der Raubvogel, der auf dem Mosaik-Brunnen saß, war aus Plastik; er sollte wohl die Tauben abschrecken.

Laternenlicht schien durch die Korridorfenster, man konnte in die Klassenräume sehen, wo die Schatten der Flocken über Stühle, Tische und geputzte Tafeln fielen, und einmal mehr machte mich der Anblick des stillen Gebäudes in den Ferien oder am Wochenende beklommener, als er es zu Unterrichtszeiten getan hatte – vielleicht, weil die rechtwinklige und durchnummerierte Architektur ohne Menschen ihren Zweck umso kälter offenbarte. Vielleicht aber auch, weil mir dieser leere Ort mehr als jeder Kirchhof vorführte, wie es sein könnte, wenn man eines Tages nicht mehr existierte und von allem, was einem lieb und wichtig war, weniger blieb als der verwischte Kreidehauch von Zahlen und Vokabeln an der Tafel.

»Will dich im Traum nicht stören, / Wär schad um deine Ruh, / Sollst meinen Tritt nicht hören ...« Der Fahrer bog in die Elpenbachstraße, eine alte Platanenallee, die sich inmitten der Klinkerhäuschen mit den schnurgeraden Hecken und Gardinen wie eine elegante französische Zeile in einem deutschen Text ausnahm. Ich bat ihn, vor der Friedhofsgärtnerei zu halten, und zahlte ein beachtliches Trinkgeld dafür, dass er nicht davonfuhr; in dieser Gegend ein Taxi zu bekommen war nur zum Preis endloser Wartezeiten möglich. Dann stapfte ich durch den Schnee zu dem kleinen Blumenladen neben dem Tor und kaufte einen der fertigen Sträuße im Fenster, weiße Tulpen, Kiefernzweige und Mimosen.

Der Friedhof war erweitert worden in den letzten Jahren. Man hatte den Kreuzhügel abgetragen und die Gärten dahinter gerodet, und auch das kleine Freibad auf dem Nachbargrundstück, schon in meiner Kindheit geschlossen und vom letzten Bauern als Weide genutzt – »Kein Altbrot mehr ablegen!«, stand einmal an seinem Haus, »Das Pferd ist seit fünf Jahren tot!« –, war jetzt zum Gräberfeld geworden. Alles weiß; man hatte nur den Weg zu der neuen Kapelle geräumt, und im hohen Schnee war von den Ruhestätten wenig mehr zu sehen als hier und da der Rücken eines Steins, die Spitze eines Obelisken.

Ich stakte in die Richtung, die ich in Erinnerung hatte, vorbei an einem einzelnen roten, schief auf einer Wehe flackernden Licht, und schon nach drei, vier Schritten befand ich mich nicht mehr auf dem Pfad; unter meinen Sohlen knisterte und knackte es, als träte ich auf alte Kränze. Seinerzeit hatte das Grab an einer Ligusterhecke gelegen, doch die war nicht mehr auszumachen, und ich ging um ein Gatter voller Abfälle herum – schwarz-rot-goldene Schleifen, Plastikrosen und verwelkte Chrysanthemen hingen aus dem Lattenwerk – und sank plötzlich bis zu den Knien ein, hielt mich an einem Findling fest.

Das ganze Gelände fiel ab, der Zeche zu, in der mein Vater einmal gearbeitet hatte und von der nur noch der Förderturm stand, schwarz vor Krähen, die dort Rast machten. Monumente und Kreuze bis zum Waldrand, und dazwischen fremde Wege, kahle Bäume, vom Eis wie glasiert. Schnee in den Schuhen, machte ich noch mehrere Versuche in die eine oder andere Richtung, stolperte über unsichtbare Stufen, knickte auf verborgenen Einfassungen um und wischte ein paar Steine frei, wobei ich mir den Handschuh an Reliefs zerriss, konnte das Grab der Eltern aber nicht finden.

Es wurde dunkel. Unter der Eisschicht, die auf einem Wasserbecken lag, gluckerte es leise, in hohen Sprüngen jagte ein Hase davon, und ich fand es nicht mehr. Auf meinen Spuren ging ich zurück zu dem Rubinlicht, das etwas blakte, und legte den Strauß daneben, blieb einen Moment lang stehen. Kaum Wind, und es hatte aufgehört zu schneien; in einiger Entfernung, wo der Auspuffrauch des Taxis über die Straße strich, leuchtete der Blumenladen, und obwohl die Flocken doch lautlos gefallen waren, ein stilles Verwehen, war es jetzt noch einmal stiller.